Biblioteca de

Mary Higgins Clark

From Spain
08/17/2019
The Kerr's family

PLAZA & JANES

Jet

Mary Higgins Clark

Un extraño acecha

Traducción de
Carmen Criado

PLAZA & JANES EDITORES, S. A.

Título original: *Astranger is Watching*
Traducción: Carmen Criado
Diseño de la portada: Método, S. L.

Sexta edición en biblioteca de autor: febrero, 1996
(Primera con esta portada)

© 1977, Mary Higgins Clark
Traducción cedida por Argos Vergara, S. A.
© 1989, Plaza & Janés Editores, S. A.
Enric Granados, 86-88. 08008 Barcelona

Printed in Spain – Impreso en España

ISBN: 84-01-49184-3 (col. Jet)
ISBN: 84-01-49307-2 (vol. 184/7)
Depósito legal: B. 10.160 - 1996

Impreso en Litografía Rosés, S. A.
Progrés, 54-60. Gavà (Barcelona)

L 49307A

1

Estaba sentado, totalmente inmóvil, frente al televisor de la habitación 932 del «Hotel Biltmore». El despertador había sonado a las seis, pero a esa hora llevaba ya mucho tiempo despierto. El viento frío y ominoso que hacía vibrar los cristales de las ventanas, había bastado para sacarle de un sueño inquieto.

El programa «Hoy» llegó, pero él no se molestó en elevar el sonido del aparato, apenas audible. No le importaban ni las noticias ni los reportajes especiales. Sólo quería ver la entrevista.

Removiéndose en el sillón de respaldo rígido, cruzaba y descruzaba las piernas. Se había duchado y afeitado y se había puesto después el traje verde, de fibra acrílica, que llevara la noche anterior cuando se inscribió en el hotel. Al afeitarse, la conciencia de que al fin había llegado el día señalado, le había hecho temblar ligeramente. Se cortó el labio inferior y sangró un poco. El sabor acre de la sangre le dio náuseas.

Odiaba la sangre.

La noche anterior, de pie ante el mostrador de la recepción, había visto la mirada del empleado deslizarse sobre su traje. Llevaba el abrigo doblado bajo el brazo porque sabía que estaba muy gastado. Pero el traje era nuevo. Había ahorrado mucho para comprárselo. Aún así el empleado le miró como si se tratara de un don nadie y le preguntó si tenía reserva.

Era la primera vez que se inscribía en un hotel, pero sabía cómo había que hacerlo. «Sí, tengo reserva.» Había respondido con tal frialdad que el empleado dudó unos instantes, pero cuando dijo no tener tarjetas de crédito y se ofreció a pagar por adelantado, volvió a sentir sobre él la mirada de desprecio. «Me quedaré hasta el miércoles por la mañana», dijo al empleado.

La habitación le había costado ciento cincuenta dólares por las tres noches, lo que significaba que sólo le quedaban treinta. Pero con eso tenía de sobra para vivir esos pocos días y el miércoles tendría en su poder ochenta y dos mil dólares.

El rostro femenino cruzó flotando su mente. Parpadeó para borrar la imagen porque, como de costumbre, detrás venían los ojos. Esos ojos grandes como faros que le seguían, que le vigilaban constantemente, que nunca se cerraban.

«Ojalá pudiera tomarme ahora otra taza de café», se dijo. Había pedido que le subieran el desayuno a la habitación después de leer cuidadosamente las instrucciones para hacerlo. Le habían traído una cafetera llena y no se lo había tomado todo, pero antes de sacar la bandeja al pasillo había lavado la taza, el plato y el vaso del jugo de naranja y había enjuagado cuidadosamente la cafetera.

En este momento terminaba el anuncio. Súbitamente interesado en el programa se inclinó hacia delante para acercarse al televisor. Ahora tenía que venir la entrevista. Y así fue. Hizo girar el mando del sonido hacia la derecha.

El rostro familiar de Tom Brokaw, el presentador del programa «Hoy», llenó la pantalla. Sin sonreír, en tono mesurado, el locutor empezó a hablar. «Desde la guerra del Vietnam ningún tema ha interesado y dividido tanto a la opinión pública como la reimplantación de la pena capital. Dentro de cincuenta y dos horas, a las once y media de la mañana del próximo veinticuatro de marzo, cuando Ronald Thompson, de diecinueve años de edad, muera en la silla eléctrica, se habrá llevado a efecto la sexta ejecución del año. Nuestros invitados de hoy...»

La cámara giró para enfocar a las dos personas sentadas una a cada lado de Tom Brokaw. El hombre colocado a su derecha contaba poco más de treinta años. Tenía el cabello de color arena entreverado de canas y algo despeinado. Las manos juntas, con los dedos separados señalando hacia arriba, y la barbilla apoyada sobre ellos, le daban un aspecto como de estar orando, que acentuaban unas cejas negras arqueadas sobre los ojos de un azul gélido.

La joven colocada al otro lado del entrevistador estaba sentada rígidamente en su asiento. Llevaba el cabello, del color de la miel, recogido suavemente en un moño. Sus manos, apretadas en sendos puños, descansaban sobre su regazo. Se humedeció los labios y retiró a continuación un mechón de pelo que le caía encima de la frente.

Tom Brokaw continuó: «Hace seis meses, en este mismo programa, nuestros invitados de hoy defendieron hábilmente sus opiniones acerca de la pena de muerte. Sharon Martin, conocida periodista, es también autora del *best-seller* titulado *El crimen de la pena capital*. Steve Peterson, director de la revista *Events*, es una de las voces que claman con mayor potencia por la reimplantación de la pena capital en todo el país.»

El entrevistador habló de pronto con mayor viveza. Se volvió hacia Steve.

—Empecemos por usted, señor Peterson. Teniendo en cuenta la reacción del público ante las ejecuciones que han tenido lugar hasta la fecha, ¿sigue considerando justificada su actitud?

Steve se inclinó hacia delante. Cuando contestó lo hizo con serenidad.

9

—Totalmente —dijo en voz baja.

El entrevistador se volvió hacia su invitada.

—Sharon Martin, ¿qué opina usted?

Sharon giró levemente en su asiento para mirar a su interlocutor. Estaba agotada. Durante todo el mes anterior había trabajado veinte horas diarias visitando a personalidades influyentes —senadores, diputados, jueces, filántropos—, pronunciando conferencias en Universidades y clubes femeninos, animando al público a escribir y enviar telegramas a la gobernadora de Connecticut protestando de la ejecución de Ronald Thompson. La reacción popular había sido enorme, avasalladora. Estaba segura de que la gobernadora Greene volvería a considerar su decisión. Dudó buscando las palabras exactas.

—Creo —dijo—, más aún, estoy segura de que nuestro pueblo, nuestro país ha dado a este respecto un gigantesco paso atrás, hacia la Edad Media. —Tomó unos periódicos que tenía a su lado—. No tenemos más que leer los titulares de esta mañana. —Pasó apresuradamente las páginas mientras leía—. Éste, por ejemplo. Escuchen: «Connecticut prepara la silla eléctrica.» O este otro: «Joven de diecinueve años morirá el miércoles.» O éste: «Condenado a muerte afirma su inocencia.» Todos son iguales. Sensacionalistas. Salvajes.

Se mordió el labio inferior. Su voz se quebró.

Steve lanzó a la muchacha una rápida mirada. Acababan de decirle que la gobernadora había convocado una conferencia de Prensa para anunciar su total negativa a conceder a Thompson una nueva suspensión de la ejecución. La noticia había aniquilado a Sharon. Sería un milagro que no enfermara. No debían haber accedido a acudir a aquel programa. Por un lado, la decisión de la gobernadora hacía inútil la aparición de Sharon y Dios sabía que, en cuanto a él, no tenía el menor deseo de estar allí. Pero tenía que decir algo.

—Creo que todo ser humano con un mínimo de decencia lamenta el sensacionalismo y la necesidad de que exista la pena de muerte —dijo—. Pero recordemos que ésta se aplica solamente tras un examen exhaustivo de todas las circunstancias atenuantes. La pena de muerte no se impone por un simple mandato.

—¿Cree usted que en el caso de Ronald Thompson debía haberse tenido en cuenta, por ejemplo, el hecho de que cometiera el crimen pocos días después de cumplir los diecisiete años cuando apenas acababa de adquirir la categoría legal de adulto?

—Como usted sabe, yo no puedo hacer comentario alguno acerca del caso concreto de Ronald Thompson —respondió Steve.

—Comprendo sus reparos, señor Peterson —dijo el entrevistador—, pero lo cierto es que usted adoptó su punto de vista al respecto varios años antes de que... —Se interrumpió un segundo y continuó después en el mismo tono—: ...Ronald Thompson asesinara a su esposa.

«Antes de que Ronald Thompson asesinara a su esposa.» La dureza de aquellas palabras seguía sorprendiendo a Steve. Después de dos años y medio aún le asombraba e indignaba que Nina hubiera muerto de aquel modo, segada su vida por el intruso que había entrado en su casa, por las manos que habían apretado sin piedad un pañuelo en torno a su garganta.

Miró directamente al frente tratando de apartar la imagen de su memoria.

—Hubo un tiempo en que creí que la prohibición de la pena de muerte en este país podía ser definitiva. Pero, como usted ha señalado, mucho antes de que sucediera esa tragedia en el seno de mi familia, había llegado a la conclusión de que si queremos defender el derecho fundamental de todo ser humano que consiste en el derecho a vivir sin temor, el derecho a sentirse seguro en su propio hogar, teníamos que poner coto a los responsables de la violencia. Al parecer y desgraciadamente, el único modo de contener a los asesinos en potencia es amenazarlos con el mismo fin que ellos proporcionan a sus víctimas. Desde que se llevó a cabo la primera ejecución hace dos años, el número de crímenes ha descendido espectacularmente en todas las grandes ciudades del país.

Sharon se inclinó en su asiento.

—Usted hace parecer tan razonable lo que dice —exclamó—. ¿No se da cuenta de que el cuarenta y cinco por ciento de esos crímenes los cometen individuos menores de veinticinco años de edad, muchos de los cuales tienen antecedentes familiares trágicos y un historial de inestabilidad?

El espectador solitario de la habitación 932 del «Hotel Biltmore» apartó la mirada de Steve Peterson y estudió a la muchacha cuidadosamente. Ésta era la escritora que Steve empezaba a tomar en serio. No se parecía en nada a la que fuera su esposa. Era más alta, con esa esbeltez que caracteriza a las mujeres que practican el deporte. Su mujer había sido de corta estatura, frágil como una muñeca, de senos redondeados y cabello negro que le caía en rizos sobre la frente y las orejas cuando volvía la cabeza.

Los ojos de Sharon Martin le recordaban el color que tenía el mar aquel día que fue a la playa el verano pasado. Le habían dicho que la playa Jones era un buen sitio para conocer chicas, pero él no había conseguido nada. La que le había atraído lo suficiente como para seguirla hasta el agua, había gritado «¡Bob!» y un segundo después un tipo se le había acercado para preguntarle de muy malos modos qué se proponía. El incidente le decidió a volver a tenderse en su toalla y limitarse a observar los cambios de color del océano. Verdes. Eran verdes. De un verde entreverado de azul y miel. Le gustaban los ojos de ese color.

¿Qué decía ahora Steve? Algo así como que había que compadecer no a los asesinos, sino a las víctimas, a las personas incapaces de defenderse por sí mismas.

—También compadezco a las víctimas —exclamó Sharon—. Pero no veo por qué no se puede compadecer a unas y a otros. ¿No cree que cadena perpetua sería suficiente castigo para todos los Ronald Thompson de este mundo? —En su empeño por convencer a Steve se olvidó una vez más de las cámaras de televisión—. ¿Cómo un hombre como tú, tan compasivo, que tanto aprecia la vida, puede pretender asumir el papel de

Dios? —preguntó—. ¿Cómo nadie puede pretender asumir el papel de Dios?

La discusión empezó y terminó del mismo modo que empezara y terminara seis meses antes cuando los dos se conocieron al comienzo de ese mismo programa. Finalmente Tom Brokaw intervino:

—Se nos acaba el tiempo. ¿Podemos resumir lo dicho afirmando que, a pesar de la oposición del público, de los motines en las cárceles y de las protestas estudiantiles que están teniendo lugar en todo el país, sigue creyendo, señor Peterson, que el notable descenso en el número de asesinatos justifica la pena de muerte?

—Yo creo en el derecho moral, en el deber que tiene la sociedad de protegerse a sí misma, y en el derecho del Gobierno de proteger la sagrada libertad de todos los ciudadanos —dijo Steve.

—¿Sharon Martin? —Brokaw se volvió hacia la muchacha.

—Creo que la pena de muerte es cruel y embrutecedora. Creo que nuestros hogares, nuestras calles, podrán seguir siendo un lugar seguro para el ciudadano si extirpamos de ellas la violencia castigando a los agresores con sentencias rápidas y justas, votando por todas las propuestas que conduzcan a la construcción y mantenimiento de instituciones correccionales y a su dotación con el personal especializado correspondiente. Creo que el respeto por la vida, por la vida de todos, es lo que debe caracterizarnos como individuos y como sociedad.

Tom Brokaw continuó apresuradamente:

—Sharon Martin y Steve Peterson, gracias por acompañarnos en «Hoy». Señores espectadores, volveré con ustedes tras este anuncio patrocinado por...

La imagen desapareció súbitamente en la pantalla del televisor de la habitación 932 del «Hotel Biltmore». El ocupante del cuarto, un hombre musculoso, fornido, vestido con un traje de cuadros color verde, continuó sentado frente al aparato un largo rato mirando fijamente la pantalla negra. Una vez más repasó mentalmente su plan, el plan que había comenzado a ejecutar al dejar las fotografías y la maleta en el cuarto secreto de la estación de Grand Central, y que terminaría cuando llevara esta noche a ese mismo lugar a Neil, el hijo de Steve Peterson.

Pero ahora tenía que decidir. Sharon Martin estaría esta noche en casa de Steve. Quedaría al cuidado del niño hasta que él regresara.

Había decidido eliminarla, sencillamente, allí mismo.

Pero, ¿debía hacerlo? Era tan hermosa...

Recordó sus ojos, del color del océano, dulces, cariñosos.

Cuando miraban directamente a la cámara, parecía que en realidad le miraban *a él*.

Como si ella le estuviera pidiendo que fuera a buscarla.

Quizá le amara.

Si se equivocaba, podía librarse de ella fácilmente más tarde.

Bastaría con dejarla el miércoles por la mañana junto con el niño en el cuarto de Grand Central.

A las once y media, cuando estallara la bomba, volarían los dos en mil pedazos.

2

Salieron de los estudios juntos, caminando a pocos pasos de distancia. La capa de *tweed* caía pesadamente de los hombros de Sharon. La muchacha tenía las manos y los pies helados. Se puso los guantes y, al hacerlo, notó que el anillo antiguo con una piedra lechosa que Steve le regalara en Navidad, había vuelto a mancharle los dedos. Algunas personas tienen tal contenido de ácido en la epidermis que no pueden llevar joyas de oro puro sin que les ennegrezcan la piel.

Steve se adelantó para abrirle la puerta y juntos se hundieron en el viento de la mañana. Hacía mucho frío y estaba empezando a nevar. Caían unos copos gruesos, pegajosos, que helaban la cara.

—Te buscaré un taxi —dijo él.

—No, prefiero andar.

—Es una locura. Estás agotada. Se te nota.

—Así se me despejará la cabeza. Steve, ¿cómo puedes estar tan cierto, tan seguro de ti mismo? ¿Cómo puedes ser tan inflexible?

—No empecemos de nuevo, cariño.

—Tenemos que hablar de esto.

—Ahora no.

Steve la miró con impaciencia plena de preocupación. Los ojos de Sharon se notaban cansados. Los atravesaban unas finas líneas rojas. El maquillaje que habían aplicado a su rostro en el estudio no lograba ocultar una palidez que se acentuaba al derretirse la nieve sobre las mejillas y la frente.

—¿Puedes ir a casa y descansar un poco? —preguntó él—. Lo necesitas.

—Tengo que entregar mi artículo.

—Aun así trata de dormir unas horas. ¿Crees que podrás llegar a mi casa como a las seis menos cuarto?

—Steve, no estoy segura de...

—Yo sí. Hemos estado sin vernos tres semanas. Los Lufts quieren salir para celebrar su aniversario y yo quiero pasar la velada en casa, contigo y con Neil.

Haciendo caso omiso de la gente que entraba precipitadamente en los edificios del «Rockefeller Center», Steve posó una mano sobre el rostro de Sharon y la obligó a levantar la vista hacia él. Le miró con expresión preocupada y triste. Luego dijo con la mayor gravedad:

—Te quiero, Sharon. Tú lo sabes. No te imaginas cómo te he echado de menos durante estas últimas semanas. Tenemos que hablar de nuestras cosas.

—Steve. No pensamos del mismo modo. Nosotros...

Se inclinó sobre ella y la besó. Los labios de Sharon no cedieron. Sintió tenso el cuerpo de la muchacha. Retrocedió un paso y levantó la mano para llamar a un taxi. Cuando el vehículo se detuvo junto a la acera, abrió la puerta y dio al taxista la dirección del edificio del *News Dispatch*. Antes de cerrar la puerta, preguntó:

—¿Puedo contar contigo para esta noche?

Sharon asintió en silencio. Steve vio cómo el taxi doblaba la esquina de la Quinta Avenida, y echó a andar después en dirección oeste. Había pasado la noche en el «Hotel Gotham» para poder acudir a los estudios esta mañana a las seis y media. Ahora estaba ansioso de hablar con Neil antes de que saliera para el colegio. Siempre que tenía que irse de viaje se preocupaba. El niño seguía teniendo pesadillas, continuaba despertándose con unos ataques de asma que le asfixiaban. La señora Lufts llamaba al médico inmediatamente, pero aun así...

Ese invierno había sido extremadamente húmedo y frío. Quizás en la primavera Neil pudiera salir más, fortalecerse un poco. Estaba siempre tan pálido...

¡La primavera! ¡Dios mío! Ya era primavera. En algún momento durante la noche había sobrevenido el equinoccio vernal y el invierno había terminado oficialmente. ¡Quién podría decirlo a juzgar por las predicciones meteorológicas!

Steve dobló la esquina hacia el Norte mientras recordaba que había conocido a Sharon precisamente hacía seis meses. Cuando la recogió en su apartamento aquella primera noche, ella sugirió que atravesaran andando Central Park para ir a la «Taberna del Prado». Él la avisó entonces de que la temperatura había descendido bastante durante las últimas horas y le recordó que aquel era el primer día de otoño.

—¡Cuánto me alegro! —dijo ella—. Estaba hartándome ya del verano.

Las primeras manzanas las recorrieron casi en silencio. Él estudiaba el modo de andar de la muchacha que se adaptaba a su paso sin esfuerzo alguno. Acentuaba su esbeltez un vestido color oro viejo ajustado a la cintura por un cinturón que tenía exactamente el color de sus cabellos. Recordó que aquella tarde la brisa arrancaba las primeras hojas de los árboles y la luz del sol poniente acentuaba el azul profundo del cielo otoñal.

—En tardes como ésta, siempre recuerdo esa canción de *Camelot* —dijo ella—. Ya sabes a cuál me refiero, «Si alguna vez te dejara».

Luego cantó suavemente: «Cómo dejarte en otoño, yo nunca sabré. Con el frío del otoño te he visto resplandecer. Te he conocido en otoño, y en otoño te he de ver...»

Tenía una bonita voz de soprano.

Si alguna vez te dejara...

¿Fue en aquel momento cuando se enamoró de ella?

Aquella fue una noche deliciosa. Se quedaron en el restaurante, hablando, de sobremesa, mientras unos comensales se levantaban y otros venían a remplazarlos.

¿De qué hablaron? De todo. El padre de Sharon era ingeniero y trabajaba para una compañía petrolífera. Ella y sus hermanas habían nacido en el extranjero. Sus dos hermanas estaban ya casadas.

—¿Cómo has logrado escapar tú al matrimonio? —le había preguntado él. Ambos sabían que lo que en realidad preguntaba era: «¿Hay algún hombre en tu vida?»

Pero no lo había. Había viajado constantemente para su periódico hasta que le encargaron la sección que tenía ahora. El trabajo era interesante y divertido y los siete años que habían transcurrido desde que saliera de la Universidad, habían volado como por ensalmo.

Volvieron andando a su apartamento y a la segunda manzana se habían cogido de la mano. Ella le invitó a subir para tomar una copa. Subrayó ligeramente la palabra «copa».

Mientras él preparaba las bebidas, Sharon encendió la chimenea. Permanecieron sentados, uno junto a otro, contemplando las llamas.

Steve aún recordaba vivamente las sensaciones de aquella noche. El fuego arrancaba destellos dorados al cabello de la muchacha, proyectaba sombras sobre su perfil clásico, iluminaba aún más su tan hermosa sonrisa.

Había deseado ardientemente rodearla con sus brazos, pero se limitó a besarla suavemente al despedirse.

—El sábado, si no estás ocupada...

Esperó.

—No estaré ocupada.

—Te llamaré por la mañana.

De vuelta a su casa, mientras conducía, supo que aquel deseo de amar inquieto, incesante, que le había acosado durante dos años, quizás estuviera a punto de colmarse. «Si alguna vez te dejara...» ¡No me dejes, Sharon!

Eran las ocho menos cuarto cuando entró en el edificio número 1347 de la Avenida de las Américas. Los empleados de la revista *Events* no se distinguían precisamente por su prontitud en acudir al trabajo. Los corredores estaban desiertos. Tras saludar con un gesto al vigilante que encontró en el ascensor, Steve subió a su despacho situado en el piso treinta y seis y marcó el número de teléfono de su casa.

Contestó la señora Lufts.

—Neil está muy bien. Está desayunando, o, mejor dicho, haciendo que desayuna. Neil, es tu papá.

Neil se puso al aparato.

—Hola, papá. ¿Cuándo vas a venir?

—A las ocho y media, seguro. Tengo una reunión a las cinco. Los Lufts quieren ir al cine, ¿no?

—Creo que sí.

—Sharon llegará antes de las seis para que puedan marcharse.

—Lo sé. Ya me lo dijiste.

La voz de Neil no reveló la menor reacción.

—Bueno, que pases muy buen día, hijo. Y abrígate bien. Está empezando a hacer frío. ¿Ha empezado ya a nevar por allí?

—No. Sólo está como nublado.

—Bueno. Pues hasta la noche.

—Adiós, papá.

Steve frunció el ceño. Le costaba trabajo recordar

18

los días en que Neil era un niño alegre y despreocupado. La muerte de Nina le había transformado. Ojalá que se llevara bien con Sharon. Ella se esforzaba todo lo que podía por vencer su resistencia, pero él se negaba a ceder una sola pulgada, al menos hasta el momento.

«Tiempo. Todo en la vida es cuestión de tiempo», se dijo.

Suspiró, volvió hacia la mesa situada detrás del escritorio, y cogió el editorial en que había estado trabajando la noche anterior.

3

El ocupante de la habitación 932 abandonó el «Biltmore» a las nueve y media de la mañana. Salió por la puerta de la Calle 44 y se encaminó hacia el Este, hacia la Segunda Avenida. El viento, penetrante y preñado de nieve, obligaba a apresurarse a los transeúntes que hundían los cuellos en las solapas de los abrigos vueltas hacia arriba.

Ése era el tiempo que a él le convenía. Con el frío la gente no se molestaba en fijarse en el vecino.

Se detendría primero en la ropavejería de la Segunda Avenida pasada la Calle 34. Despreciando los autobuses que pasaban cada pocos minutos, anduvo las catorce manzanas. Era un buen ejercicio y necesitaba mantenerse en forma.

La tienda estaba vacía a excepción de una vieja empleada que leía desganadamente el periódico de la mañana.

—¿Busca usted algo en concreto? —le preguntó.

—No. Voy a echar un vistazo a ver qué tienen.

Vio la percha de la que colgaban abrigos de señora y se acercó. Después de revolver unos momentos las manoseadas prendas, eligió un abrigo suelto de lana color gris oscuro que le pareció lo bastante largo. Sharon Martin era bastante alta. Cerca de la percha había una bandeja llena de pañuelos. Cogió el más grande, un rectángulo de tela de un azul desvaído.

La mujer introdujo el abrigo y el pañuelo en una bolsa de papel marrón.

A continuación, se dirigió al almacén de artículos sobrantes del Ejército. La selección fue fácil. En la sección de camping adquirió un gran bolsón de lona. Lo eligió después de asegurarse de que era lo bastante grande como para contener el cuerpo del niño, lo bastante duro como para no moldearse al contorno del cuerpo delatando así su contenido, y lo bastante ancho como para que el aire pudiera circular por su interior cuando no estuviera cerrado.

En el almacén de la cadena «Wolworth» situado en la Primera Avenida compró seis paquetes de vendas, esparadrapo y dos rollos de cuerda. Volvió al hotel cargado con sus compras. La cama estaba hecha y habían puesto toallas limpias en el baño.

Buscó rápidamente con la vista alguna señal de que la camarera hubiera hurgado en el armario, pero el otro par de zapatos que poseía seguía exactamente donde él lo había colocado, un zapato al lado del otro, los dos rozando apenas la vieja maleta negra de doble cerradura que había dejado en el rincón.

Echó el cerrojo de la puerta y dejó las bolsas con sus compras sobre la colcha. Con infinito cuidado, sacó la maleta del armario y la colocó a los pies de la cama. De su cartera extrajo una llave con la que abrió la maleta.

Llevó a cabo una inspección completa de su contenido: las fotos, la pólvora, el reloj, los cables, los fusibles, el cuchillo de monte y la pistola. Satisfecho, cerró la maleta de nuevo.

Salió de la habitación cargado con la bolsa y la maleta. Esta vez bajó al vestíbulo del sótano del «Biltmore», a la arcada subterránea que conducía al nivel superior de la estación de Grand Central. Había pasado la hora de la gran avalancha de público que, procedente de las afueras, se dirigía a su trabajo, pero la terminal seguía abarrotada de gentes que entraban y salían ajetreadamente de los trenes, personas que utilizaban la estación como atajo para cruzar a la Calle 42 o a Park Avenue, personas que se encaminaban a las tiendas de las arcadas, al centro de apuestas, a los restaurantes rápidos, a los puestos de periódicos...

Bajó apresuradamente las escaleras que conducían a la planta inferior y se dirigió al andén número ciento doce del que partían y al que llegaban los trenes de Mount Vernon. El próximo tardaría dieciocho minutos en salir y por lo tanto la zona estaba desierta. Miró rápidamente en torno de él para asegurarse de que no le miraba ninguno de los vigilantes de la estación, y bajó las escaleras que conducían al andén.

La plataforma se extendía en forma de U en torno al final de la vía. Del extremo opuesto arrancaba una rampa que conducía a las profundidades de la terminal. Recorrió apresuradamente la distancia que le separaba de la rampa. Sus movimientos eran ahora rápidos, furtivos. Los sonidos eran distintos en esta zona de la estación. Arriba resonaban los pasos de miles y miles de viajeros. Aquí latía una bomba neumática, rugían los ventiladores, el agua se filtraba a través del suelo... Las siluetas silenciosas y hambrientas de los gatos sin dueño entraban y salían del túnel que se abría bajo Park Avenue. El estruendo continuo y romo de los trenes llegaba desde el lugar donde todos los que partían de Grand Central daban la vuelta traqueteando con enorme fragor para alejarse después de la terminal.

Continuó su descenso gradual hasta hallarse al pie de una empinada escalera de hierro. Subió aprisa los escalones de metal colocando una y otra vez, con cautela, silenciosamente, un pie en el peldaño inmediatamente superior. De vez en cuando pasaba un vigilante por aquella zona. La luz era escasa, pero aún así...

Al fondo de un pequeño descansillo había una pesada puerta de metal. Depositó en el suelo cuidadosamente la maleta y la bolsa y buscó en su cartera la llave de la puerta. La introdujo nerviosamente en la cerradura. Ésta cedió su autoridad a regañadientes y la puerta se abrió.

Dentro reinaba la oscuridad. Buscó a tientas la llave de la luz y, sin apartar la mano de ella, se agachó e introdujo la maleta y la bolsa en la habitación. Luego dejó que la puerta se cerrara silenciosamente.

El cuarto estaba en tinieblas. Sólo se adivinaba el contorno de las paredes. El olor a humedad era intenso. Exhalando un profundo suspiro, el intruso trató de relajarse aplicando a la tarea los cinco sentidos. Prestó oídos a los ruidos de la estación, pero llegaban hasta él lejanos, discernibles solamente cuando se hacía un esfuerzo deliberado por distinguirlos.

Todo iba bien.

Hizo girar la llave de la luz, y una tenue claridad iluminó la habitación. El resplandor que arrojaban los polvorientos tubos fluorescentes se reflejaba en las paredes y en el techo desconchados, proyectando profundas sombras en los rincones. La habitación tenía forma de L. Era un cuarto con paredes de cemento de las que colgaban tiras formadas por varias capas de pintura, una pintura gris resistente a la humedad. A mano izquierda, junto a la puerta, había un par de pilas de porcelana, viejas y de gran tamaño. El agua que goteaba de los grifos había abierto en la suciedad acumulada en ellas canales de herrumbre. En el centro de la habitación unos tablones irregulares clavados fuertemente enterraban un objeto semejante a una chimenea. Era un montaplatos. Al fondo de la pared de la derecha, una puerta entornada dejaba ver un retrete mugriento.

Sabía que el retrete funcionaba. La semana anterior había entrado en esa habitación por primera vez desde hacía veinte años, y había comprobado el estado de las luces y la fontanería. Algo le había impulsado a venir, a recordar este cuarto cuando estaba madurando su proyecto.

Había un viejo catre de lona, de los que utilizaba el

Ejército, colocado asimétricamente contra la pared del fondo y junto a él un cajón de naranjas vacío, boca abajo. El catre y el cajón le preocupaban. Indicaban que alguien había entrado en la habitación para permanecer allí durante algún tiempo. Pero el polvo que cubría a ambos, y la humedad y olor a cerrado que reinaban en la habitación, sólo podían indicar que nadie la había pisado en meses, quizás en años.

La última vez que había estado allí, tenía dieciséis años. Más de la mitad de su vida había transcurrido desde entonces. En aquellos tiempos utilizaba ese cuarto el restaurante «La Ostrería». Situado directamente debajo de la cocina del local, aquel viejo aparato oculto ahora por tablones, bajaba montones de platos grasientos a la habitación donde los lavaban en las grandes pilas, los secaban, y los volvían a enviar a la cocina.

Hacía años que «La Ostrería» había renovado sus instalaciones adquiriendo máquinas lavaplatos. Fue entonces cuando el cuarto se cerró. Ya no tenía ninguna utilidad. Nadie quería trabajar en ese agujero maloliente.

Pero aún podía servir para algo.

Cuando se puso a meditar dónde podía esconder al hijo de Peterson hasta que su padre pagara el rescate, recordó aquella habitación. Fue a verla y sólo entonces se dio cuenta de hasta qué punto se amoldaba a sus planes. Cuando él trabajaba allí con las manos hinchadas a causa de la irritación provocada por los detergentes, el agua hirviendo y los gruesos paños mojados, de aquella terminal partían gentes bien vestidas en dirección a sus casas y a sus automóviles, o se sentaban a las mesas de los restaurantes donde comían gambas, almejas, ostras, lubinas y salmonetes... cuyos restos limpiaba él de los platos.

Ahora conseguiría que todos en la estación de Grand Central, en Nueva York, *en el mundo entero*, repararan en él. A partir del miércoles ya no podrían olvidarle.

No había sido difícil entrar en la habitación. Le había bastado con hacer un molde de cera de la vieja cerradura oxidada y después una llave. Ahora podía entrar y salir del cuarto cuando quisiera.

Esta noche Sharon Martin y el niño estarían con él. Grand Central. La mayor estación del mundo. El mejor lugar del universo para esconder a una persona.

Rió en voz alta. Ahora que estaba allí a solas, podía empezar a reír. Se sentía despejado, inteligente, vibrante. Las paredes desconchadas, el viejo catre, los grifos que goteaban y los tablones astillados, le excitaban.

Aquí él era el amo, el planificador. Conseguiría el dinero y cerraría esos ojos para siempre. No podía aguantar seguir soñando con ellos. No podía soportarlo más. Y ahora, para colmo, se habían convertido en un auténtico peligro.

El miércoles. Faltaban exactamente cuarenta y ocho horas para las once y media de la mañana del miércoles. En ese momento él se hallaría a bordo de un avión volando en dirección a Arizona donde nadie le conocía. No podría seguir en Carley. Le harían demasiadas preguntas.

Pero allí, en Arizona, con el dinero..., cerrados aquellos ojos para siempre... Si Sharon Martin le amaba, la dejaría que fuera con él.

Llevó la maleta junto al catre y la depositó en el suelo. La abrió, sacó de ella una grabadora diminuta y una máquina fotográfica y las introdujo en el bolsillo de su informe abrigo marrón. En el derecho puso el cuchillo de monte y la pistola. Se aseguró de que no delataban su forma a través de la gruesa lana del abrigo.

Abrió la bolsa y extendió mecánicamente su contenido sobre la lona del catre. Luego metió el abrigo que había comprado, el pañuelo, la cuerda, las vendas y el esparadrapo en el bolsón de lona. Finalmente cogió el rollo de fotografías tamaño poster cuidadosamente enrolladas. Lo abrió alisando las fotos cuidadosamente con las manos, estirándolas para que no se arrollaran de nuevo. Sus ojos se deleitaron al verlas. Una sonrisa meditabunda, plena de reminiscencias, distendió sus finos labios.

Colocó tres de las fotografías en la pared, sobre el

catre, pegándolas con ayuda del esparadrapo. Estudió la cuarta cuidadosamente y la enrolló de nuevo.

«Aún no», decidió.

El tiempo pasaba. Apagó la luz cautelosamente antes de abrir la puerta unas pocas pulgadas. Escuchó con atención pero no oyó una sola pisada por aquella zona.

Se deslizó al exterior, descendió sin hacer el menor ruido los escalones de metal, y pasó apresuradamente junto al generador palpitante, junto a los ventiladores rugientes, a través del túnel que se abría en enorme bostezo, ascendió la rampa, recorrió el andén de los trenes de Mount Vernon, y subió las escaleras hasta el nivel superior de la estación de Grand Central. Allí se fundió con la riada humana aquel hombre de pecho fornido, cercano a los cuarenta años, musculoso, rígido, de tez cuarteada, pómulos altos, labios finos y apretados, y párpados gruesos que sólo a medias ocultaban unos ojos pálidos que miraban incansables de un lado a otro.

Con su billete en la mano se acercó a toda prisa al andén de donde partía en ese momento un tren con destino a Carley, Connecticut.

4

Neil esperaba en la esquina al autobús del colegio. Sabía que la señora Lufts le miraba desde la ventana. Odiaba aquella costumbre. Ninguna madre vigilaba a sus amigos del modo que la señora Lufts le vigilaba a él. Cualquiera diría que era un niño de jardín de infancia y no de primero de Básica.

Cuando llovía le obligaba a esperar dentro de la casa. También le molestaba aquello. Le hacía parecer afeminado ante sus amigos. Había tratado de explicárselo a su padre, pero él no le había entendido. Le había dicho que necesitaba cuidados especiales por sus ataques de asma.

Sandy Parker estaba en cuarto grado. Vivía en la calle siguiente, pero tomaba el autobús en esta parada. Siempre quería sentarse al lado de Neil y él hubiera deseado que no lo hiciera. Hablaba continuamente de cosas que a él no le gustaban.

En el momento en que el autobús doblaba la esquina, Sandy apareció corriendo jadeante, recogiendo los libros que se deslizaban bajo su brazo. Neil quiso sentarse en un asiento vacío que había al final del autobús, pero su amigo no se lo permitió. Le dijo:

—Aquí hay dos asientos juntos.

El autobús hacía mucho ruido. Los chicos gritaban a voz en cuello. Sandy no hablaba muy alto, pero Neil oyó hasta la última palabra de lo que dijo.

Aquella mañana estaba exuberante. Apenas se había sentado cuando exclamó:

—Mientras desayunábamos hemos visto a tu padre en el programa «Hoy».

—¿A mi padre? —dijo Neil. Luego negó con la cabeza—. Me tomas el pelo.

—No, de verdad que no. Estaba con esa señora que conocí en tu casa, Sharon Martin. Se pelearon.

—¿Por qué?

—Porque ella cree que no se debe matar a los hombres que hacen algo malo y tu padre dice que sí. Papá dice que tu padre tiene razón. Dice que al hombre que mató a tu madre hay que freírlo en la silla eléctrica. —Repitió la palabra subrayándola—. *Freírlo*.

Neil se volvió hacia la ventana. Apoyó la frente en el cristal refrescante. Afuera estaba muy gris y empezaba a nevar. Ojalá fuera ya de noche. Ojalá hubiera venido su padre a casa ayer. No le gustaba estar solo con los Lufts. Eran muy buenos con él, pero discutían mucho y luego él se iba al bar y ella se enfadaba aunque trataba de ocultárselo a él.

—¿No te alegras de que vayan a matar a Ronald Thompson el miércoles? —insistió Sandy.

—No... Bueno, la verdad es que no lo pienso —dijo Neil en voz baja.

No era verdad. Pensaba mucho en ello. Y soñaba todo el tiempo. Siempre la misma pesadilla sobre aquella noche. Él jugaba con el tren eléctrico en la habitación. Mamá estaba en la cocina guardando en los armarios y en el frigorífico lo que había traído de la tienda. Empezaba a atardecer. Uno de sus trenes descarriló y él lo desenchufó.

Fue entonces cuando oyó aquel ruido extraño. Era como un grito, pero como un grito ahogado. Corrió escaleras abajo. El salón estaba casi a oscuras, pero él vio a su madre. Trataba de apartar a alguien con los brazos y hacía unos ruidos horribles con la boca, como si se asfixiara. Un hombre retorcía algo en torno a su cuello.

Neil se detuvo en el descansillo. Quería ayudarla, pero no podía moverse. Quería pedir socorro, pero no le salía la voz. Empezó a respirar como ella, haciendo un ruido extraño y, de pronto, sus rodillas flaquearon. El hombre se volvió al oírle y dejó caer a su madre.

Él cayó al suelo también. Notó cómo se caía. Luego la oscuridad se disipó en la habitación. Mamá estaba tendida en el suelo. Tenía la lengua fuera, el rostro azulado... Los ojos abiertos miraban fijamente al vacío... El hombre estaba arrodillado junto a ella. Tenía las manos puestas sobre su garganta. Luego le miró y echó a correr, pero Neil pudo ver claramente su rostro. Estaba cubierto de sudor y tenía una expresión de miedo.

Neil tuvo que contar todo aquello a los policías y señalar al hombre durante el juicio. Luego papá le había dicho: «Trata de olvidarlo, Neil. Recuerda sólo los momentos felices que pasaste con mamá.» Pero él no podía olvidar. Soñaba con ello todo el tiempo y después se despertaba con un ataque de asma.

Ahora era muy posible que papá se casara con Sharon. Sandy le había dicho que todo el mundo pensaba que su padre se casaría otra vez. Y le había dicho también que ninguna mujer quiere a los hijos de otra, sobre todo si son enfermizos.

El señor y la señora Lufts decían todo el tiempo que querían irse a vivir a Florida. Neil se preguntó si su padre le entregaría a él como regalo a los Lufts si llegaba a casarse con Sharon. Ojalá no. Miró al exterior tristemente, sumido de tal forma en sus pensamientos que Sandy tuvo que empujarle varias veces con la mano cuando el autobús paró ante el colegio.

5

El taxi se detuvo con un chirriar de frenos ante el edificio del *News Dispatch* situado en la Calle 42. Sharon rebuscó en su bolso, sacó dos dólares y pagó al taxista.

Por el momento había dejado de nevar, pero la temperatura seguía descendiendo y notó la acera resbaladiza bajo sus pies.

Se dirigió directamente a la sala de redacción que a aquella hora ardía ya en actividad con los preparativos de la edición de la tarde. En su casillero encontró una nota. El jefe de la sección municipal quería verla inmediatamente.

Inquieta por la urgencia que implicaba el mensaje, cruzó apresuradamente la ruidosa habitación. El jefe estaba solo en su oficina, pequeña y desordenada.

—Entre y cierre la puerta. —Le indicó que se sentara con un gesto—. ¿Ha escrito ya su artículo de hoy?

—Sí.

—¿Hace en él un llamamiento al público para que telegrafíen o llamen a la gobernadora Greene con objeto de que conmute la sentencia de Thompson?

—Naturalmente. He estado pensando que voy a cambiar el comienzo. El hecho de que la gobernadora haya dicho que no piensa suspender la ejecución puede resultarnos ventajoso. Es posible que eso impulse a mucha gente a pasar a la acción. Nos quedan cuarenta y ocho horas.

—Olvídese del asunto.

Sharon le miró atónita.

—¿Cómo que me olvide? Usted me ha animado todo este tiempo...

—He dicho que se olvide de ello. La gobernadora está decidida a que se lleve a cabo la ejecución. Ha llamado al dueño del periódico y le ha cantado las cuarenta. Le ha dicho que estamos creando sensacionalismo deliberadamente para aumentar la venta. Que ella tampoco cree en la pena de muerte, pero que no tiene derecho a anular la decisión del tribunal excepto en el caso de que se presenten nuevas pruebas. Le ha dicho que si queremos comenzar una campaña para reformar la Constitución en lo que respecta a la pena de muerte, tenemos derecho a hacerlo y ella nos ayudará en todo lo que pueda, pero que presionarla para que intervenga en un caso concreto daría al público la impresión de que aplica la justicia a su antojo. El viejo acabó de acuerdo con ella.

Sharon notó una súbita contracción en la boca del estómago, como si le hubieran propinado una patada. Por un instante creyó que iba a vomitar. Apretó los labios y quiso aliviar el nudo que sentía en la garganta. El jefe de la sección municipal la miraba con mucha atención.

—¿Se encuentra bien, Sharon? Está muy pálida.

Trató de tragar saliva para que desapareciera aquel sabor acre que sentía en la boca.

—Sí, estoy bien.

—Puedo hacer que la sustituya alguien en esa reunión de mañana. Le vendría bien tomarse unas vacaciones.

—No.

Los magistrados de Massachusetts debatían al día siguiente la abolición de la pena capital en ese Estado. Ella quería estar presente.

—Como usted quiera. Entregue su artículo y váyase a casa. —Luego continuó dulcificando la voz—: Lo siento, Sharon. La aprobación de una enmienda constitucional supone muchos años. Y creo que si lográramos que la gobernadora de este Estado fuera la primera en conmutar una sentencia, todos los demás gobernadores la imitarían. Pero también entiendo la posición de la señora Greene.

—Comprendo —dijo Sharon—. Sólo se puede protestar del asesinato legalizado en abstracto.

Sin esperar la reacción de su jefe se levantó bruscamente y salió de la habitación. Mientras se acercaba a su escritorio, abrió un compartimiento de su bolso y sacó las páginas mecanografiadas que constituían el artículo en que había trabajado la mayor parte de la noche. Rompió las páginas primero en mitades, luego en cuartos, y finalmente en octavos, y contempló después cómo caían, revoloteando lentamente, sobre la vieja papelera que había junto a su mesa.

Introdujo una hoja de papel en la máquina de escribir y comenzó: «La sociedad se dispone una vez más a ejercer una prerrogativa que vuelve a disfrutar desde hace poco tiempo. El derecho a matar. Hace casi cuatrocientos años, el filósofo Montaigne dijo: "El horror que me inspira que un hombre mate a otro hombre, me hace temer el horror de matarle yo." Si están de acuerdo en que la pena capital no debería estar sancionada por la Constitución...»

Escribió sin descanso durante dos horas tachando párrafos enteros, insertando frases, corrigiendo pasajes... Cuando terminó el artículo, lo pasó a limpio, lo entregó, salió del edificio y paró un taxi.

—Calle 95 esquina a Central Park West —dijo.

El taxi dobló hacia el Norte al llegar a la Avenida de las Américas y enfiló Central Park South. Sharon miró sombríamente los copos de nieve que se posaban sobre la hierba. Si seguía nevando de este modo, mañana los niños podrían sacar sus trineos.

Hacía sólo un mes había ido con Steve a patinar a Wollmank Rink. Neil iba a acompañarles. Ella había decidido que después de patinar irían los tres al zoológico y que, para terminar el día, cenarían en la «Taberna del Prado». Pero en el último momento Neil había pretextado que se encontraba mal y se había quedado en casa. No le caía bien, era evidente.

—Usted dirá, señorita.

—¿Cómo? Discúlpeme. —Entraban en la Calle 95—. La tercera casa a la derecha.

Vivía en un apartamento de la planta baja de un viejo edificio renovado.

El taxista se detuvo ante la puerta. Era un hombre delgado de cabello ligeramente canoso. Se volvió a mirarla y le dijo:

—No hay nada por lo que valga la pena preocuparse tanto, señora. Está usted muy triste.

Sharon trató de sonreír.

—Creo que es el día.

Miró la cantidad que marcaba el taxímetro, sacó dinero del bolso, y entregó al taxista una generosa propina.

Éste se volvió y estiró el brazo para abrirle la puerta.

—¡Qué barbaridad! Si sigue este tiempo son muchos los que van a tener problemas esta noche para volver a casa. Parece que va a empezar a nevar de firme. Hágame caso. No vuelva a salir hoy.

—Tengo que ir a Connecticut dentro de unas horas.

—No la envidio, señora. Gracias.

Era evidente que Angie, la mujer que venía a limpiar el apartamento, acababa de salir. En el ambiente flotaba un ligero aroma a cera mezclada con limón, la chimenea estaba limpia, las plantas húmedas y recortadas. Como siempre, el apartamento le brindó a Sharon una cálida bienvenida y una sensación de paz. La vieja alfombra oriental que perteneciera a su abuela, había ido perdiendo color hasta quedar reducida a suaves tonalidades de rojo y azul. Ella misma había tapizado de este último color el sofá y el sillón que había comprado de segunda mano, una amorosa tarea que le llevó cuatro semanas, pero cuyos resultados la enorgullecían. Los cuadros y las reproducciones que adornaban las paredes y la repisa de la chimenea, los había elegido uno por uno en pequeñas tiendas de antigüedades, en subastas, en viajes al extranjero...

Steve adoraba esa habitación. Siempre notaba hasta el más mínimo cambio que se producía en ella.

—Tienes mano para esto de la casa —le había dicho en una ocasión.

Mecánicamente entró en el dormitorio y comenzó a desnudarse. Se duchó, se cambió y se preparó una taza de té. Trataría de dormir un poco. Ni siquiera podía pensar ya con coherencia.

Era cerca del mediodía cuando se acostó. Puso el despertador para las tres y media, pero el sueño tardó mucho en llegar. Ronald Thompson. Habría jurado que la gobernadora acabaría conmutando la sentencia. No cabía la menor duda de que era culpable y el hecho de que insistiera en su inocencia ante el tribunal evidentemente le había perjudicado. Pero, aparte de otro delito que cometió a los quince años, tenía buenos antecedentes. Y era tan joven...

Steve. Hombres como Steve eran los que moldeaban la opinión pública. Su reputación de hombre íntegro y objetivo impulsaba a la gente a escucharle.

¿Quería a Steve?

Sí.

¿Cuánto?

Mucho, muchísimo.

¿Quería casarse con él? Hablarían de ello esa misma noche. Sabía que era aquella la razón por la que Steve quería que se quedara a pasar la noche en su casa. Por eso y porque deseaba que Neil le tomara cariño. Pero no resultaría. Es imposible forzar una relación de este tipo. Neil se mostraba tan frío con ella... La rechazaba. ¿Era que no le gustaba su personalidad, o habría hecho lo mismo con cualquier otra mujer que le hubiera robado la atención exclusiva de su padre? No estaba segura.

¿Quería vivir en Carley? Nueva York le gustaba tanto... Todos los días de la semana. Pero Steve jamás accedería a que Neil viviera en la ciudad.

Empezaba a triunfar como escritora. Su libro iba ya por la sexta edición. Lo habían publicado en edición de bolsillo. Ninguna de las editoriales especializadas en ediciones caras se había interesado por él, pero las críticas y la venta habían sido mejores de lo que todos esperaban.

¿Era el momento apropiado para casarse? ¿Para casarse con un hombre cuyo hijo se resistía a aceptar su presencia?

Steve. Sin darse cuenta se llevó una mano a la cara recordando la sensación de aquella otra mano grande, tierna, calentando su rostro mientras se despedían esta misma mañana. Se sentían tan desesperadamente atraídos el uno hacia el otro...

Pero, ¿cómo podría aprender a tolerar ese aspecto de su personalidad, esa testarudez suya cuando formaba una opinión sobre cualquier asunto?

Al final se durmió. Casi inmediatamente comenzó a soñar. Estaba escribiendo un artículo. Tenía que terminarlo. Era fundamental, absolutamente necesario que lo terminase. Pero por mucho que apretaba las teclas de la máquina de escribir, el papel permanecía en blanco. Luego Steve entró en la habitación. Arrastraba un muchacho por el brazo. Ella seguía tratando de que las palabras quedaran impresas en el papel. Steve obligaba al niño a sentarse.

—Lo siento —le decía—, pero es necesario. Tienes que comprenderlo. Es necesario.

Luego, mientras Sharon trataba inútilmente de gritar, Steve ataba al muchacho de pies y manos y movía una clavija.

La despertó el sonido de un grito enronquecido por el terror. Era su propia voz que decía:

—¡No, no, no...!

6

A las seis menos cinco de la tarde, las pocas personas que animaban las calles de Carley, Connecticut, salían apresuradamente de sus coches, de las tiendas, ajenas a todo lo que no fuera el frío de aquel atardecer inhóspito y nevado.

Nadie reparó en el hombre que se hallaba refugiado entre las sombras en el fondo del aparcamiento del restaurante «La Cabaña». Su mirada registraba constantemente la zona mientras la nieve le azotaba el rostro. Llevaba allí veinte minutos y comenzaban a helársele los pies.

Impaciente, dio unas patadas en el suelo y tocó con la punta del pie la bolsa de lona que tenía en el suelo junto a sí. Se metió la mano en el bolsillo del abrigo para comprobar si las armas seguían en su interior. Al notar su contacto asintió satisfecho.

Los Lufts no tardarían en llegar. Habían llamado al restaurante para confirmar la reserva de su mesa. Cenarían a las seis en punto. Luego irían a ver la película de Selznick, *Lo que el viento se llevó*. La ponían en el cine de Carley Square, en la acera de enfrente del restaurante. Estaban ahora dando la sesión de las cuatro. Los Lufts irían a la de las siete y media.

De pronto se tensó. Un automóvil se acercaba y giraba al llegar al aparcamiento. Se ocultó entre los setos. Era el coche de los Lufts. Aparcó junto a la puerta del restaurante. El hombre se bajó primero y dio la vuelta en torno al vehículo para ayudar a su esposa que no lograba mantener el equilibrio sobre el asfalto resbaladizo. Oponiendo resistencia al viento con sus cuerpos, el paso torpe, la mano de él bajo el brazo de ella, los Lufts se encaminaron aprisa, pero con cautela, hacia la puerta del restaurante.

Sólo cuando desaparecieron a su vista y la puerta se cerró tras ellos, el hombre se agachó para recoger la bolsa de lona. Apresuradamente, caminó en torno del aparcamiento ocultándose tras unos arbustos. Cruzó la calle y avanzó de prisa hacia la parte trasera del cine. En el aparcamiento de éste había como cincuenta coches. Se dirigió hacia un «Chevrolet» de color marrón oscuro, un modelo de hacía unos ocho años, discretamente situado al fondo del aparcamiento de la derecha.

Un segundo después había abierto la puerta. Se sentó ante el volante e hizo girar la llave del encendido. El motor ronroneó suavemente. Con una ligera sonrisa y una última mirada a la zona desierta que le rodeaba, hizo avanzar el coche lentamente. No encendió los faros al salir del aparcamiento y enfilar la calle silenciosa. Cuatro minutos después, el viejo automóvil marrón entraba en la avenida circular que conducía a la casa de Steve Peterson, situada en la calle Driftwood, y aparcaba tras un pequeño «Vega» de color rojo.

7

Por lo general, el recorrido de Manhattan a Carley no llevaba más de una hora, pero a causa del amenazador parte meteorológico de aquel día, muchos de los empleados que vivían en las afueras de la ciudad habían salido del trabajo antes de la hora habitual. Los embotellamientos de tráfico unidos al hielo que cubría la carretera, hicieron que Sharon tardara en llegar a casa de Steve casi una hora y veinte minutos. Pero apenas reparó en los obstáculos del camino. Durante todo el recorrido fue ensayando lo que iba a decirle a Steve: «No puede ser. Pensamos de modo distinto... Neil nunca me querrá... Será mejor que no volvamos a vernos nunca más...»

La casa de Steve, un edificio blanco estilo colonial con contraventanas pintadas de negro, la deprimió ligeramente. La luz del porche era demasiado fuerte. Los arbustos que rodeaban la casa, demasiado altos. Sharon sabía que Steve y Nina sólo habían vivido allí unas cuantas semanas cuando sucedió la desgracia. La muerte de Nina sobrevino antes de que pudieran llevar a cabo las reformas que habían planeado hacer cuando la compraron.

Aparcó un poco más allá de los escalones que conducían al porche y se preparó de modo inconsciente para el saludo exuberante de la señora Lufts y la frialdad de Neil. Pero sería la última vez... Y esta idea la deprimió aún más.

Evidentemente la señora Lufts había observado su llegada desde la ventana. En el momento en que bajaba del coche se abrió la puerta principal.

—¡Señorita Martin, qué alegría verla!

La corpulenta figura de la señora Lufts llenaba el vano de la puerta. Su rostro de rasgos delicados tenía cierta expresión de ardilla, con sus ojos brillantes e inquisitivos. Llevaba un grueso abrigo de lana escocesa en tonos rojos y botas de goma.

—¿Cómo está usted, señora Lufts?

Sharon pasó junto a ella y entró en el vestíbulo. La señora Lufts tenía la costumbre de colocarse muy cerca de la persona con quien se hallaba de forma que toda relación con ella resultaba siempre asfixiante. En esta ocasión se apartó sólo lo suficiente para que Sharon pudiera pasar al interior de la casa.

—No sabe cuánto le agradezco que haya venido —dijo la señora Lufts—. Deme su capa. Me encantan las capas. Dan un aspecto muy frágil y muy femenino, ¿no le parece?

Sharon dejó en el suelo el maletín y un libro de bolsillo. Se quitó los guantes.

—Supongo que sí. No se me había ocurrido.

Miró al interior del salón.

Neil estaba sentado en la alfombra con las piernas cruzadas. Diseminadas por el suelo en torno suyo se veían varias revistas. En la mano tenía unas tijeras de punta roma. El cabello de color arena, exactamente del mismo tono que el de su padre, le caía sobre la frente dejando al descubierto el cuello fino y vulnerable. Bajo la camisa de franela marrón y blanca se adivinaban sus hombros huesudos y delgados. Su rostro estaba pálido a excepción de unos círculos rojos que rodeaban sus ojos enormes, de un color castaño oscuro, húmedos de lágrimas.

—Neil, saluda a Sharon —dijo la señora Lufts.

Neil levantó la mirada distraído.

—Hola, Sharon —dijo en voz baja e insegura.

Parecía tan niño, tan frágil, tan desolado, que la muchacha tuvo que dominar el impulso de correr hacia él y rodearle con sus brazos. Sabía que si lo hacía, sólo lograría apartarle aún más de ella.

La señora Lufts chascó la lengua.

—Daría cualquier cosa por saber qué le pasa. Hace unos minutos, de pronto se puso a llorar. No quiere decirme por qué. Nunca se sabe lo que hay dentro de esa cabeza. Bueno, quizás usted o su padre puedan sonsacarle.

Su voz se elevó una octava.

—¡Bill!

Sharon se sobresaltó. El grito resonó en sus tímpanos. Entró apresuradamente en el salón y se detuvo ante Neil.

—¿Qué estás recortando? —le preguntó.

—Unos dibujos estúpidos de animales.

No la miró. Sharon sabía que estaba avergonzado de que le hubiera visto llorando.

—Voy a servirme un jerez y luego te echo una mano. ¿Te apetece una «Coca-Cola»?

—No. —Dudó y luego a regañadientes, añadió—: Gracias.

—Sírvase usted lo que quiera —dijo la señora Lufts—.

Está usted en su casa. Ya sabe dónde ponemos todo. He comprado lo que decía la lista que me dejó el señor Peterson. Carne, cosas para una ensalada, espárragos y helado. Lo he puesto todo en el frigorífico. Siento que tengamos que irnos así, con prisas, pero es que queremos cenar antes de ir al cine. ¡Bill...!

—¡Ya voy, Dora!

En la voz se adivinaba una nota de queja. Bill Lufts subía las escaleras que conducían del sótano a la cocina.

—Bajé a mirar las ventanas —dijo—. Quería ver si estaban bien cerradas. ¿Cómo está, señorita Martin?

—¿Cómo está usted, señor Lufts?

Era un hombre bajo, de cuello grueso, alrededor de sesenta años de edad, y ojos de un azul acuoso. Unos diminutos vasos capilares rotos, formaban pequeñas manchas rojizas en sus mejillas y en las aletas de su nariz. Sharon recordó la preocupación que sentía Steve por lo mucho que bebía Lufts.

—Bill, date prisa, ¿quieres? —La mujer hablaba con impaciencia—. Sabes que me molesta extraordinariamente tener que engullir a toda prisa la cena, y ya vamos con retraso. Ya que sólo me sacas el día de nuestro aniversario, al menos podrías darte un poco de prisa...

—Ya voy, ya voy... —Bill dio un profundo suspiro y se despidió de Sharon con una inclinación de cabeza—. Hasta luego, señorita Martin.

—Que se diviertan. —Sharon les siguió hasta el vestíbulo—. Y feliz aniversario.

—Ponte el sombrero, Bill, o cogerás una pulmonía... ¿Cómo ha dicho? ¡Ah! Gracias, gracias, señorita Martin. En cuanto me siente y empiece a descansar y a comer, empezaré a notar que celebramos algo. Ahora, con estas prisas...

—Dora, tú eres la que quiere ver esa película...

—Vamos. Ya he cogido todo. ¡Que lo pasen bien los dos! Neil, enséñale tus notas a la señorita Sharon. Es un niño muy listo. Y muy bueno también, ¿verdad, Neil? Le di la merienda tarde para que pudiera aguantar hasta la cena, pero casi no la ha tocado. Lo que come no mantendría vivo ni a un pájaro. ¡Venga, Bill, vamos!

Al fin se fueron. Una bocanada de aire helado se coló en el vestíbulo antes de que Sharon pudiera cerrar la puerta. Se estremeció. Volvió a la cocina, abrió el frigorífico, y sacó una botella de jerez «Bristol». Dudó y finalmente cogió una botella de leche. Neil le había dicho que no quería tomar nada, pero de todos modos le prepararía una taza de chocolate calentito.

Mientras esperaba a que se calentara la leche, bebió unos sorbos de jerez y miró en torno suyo. La señora Lufts hacía lo que podía, pero no era muy buena ama de llaves y en la cocina se respiraba cierto aire de suciedad. En torno al tostador había migas de pan, la chapa de la cocina pedía a gritos un buen fregado... En realidad, la casa entera necesitaba un completo repaso.

La parte trasera de la propiedad de Steve daba al canal de Long Island. «Yo talaría todos esos árboles que tapan la vista —pensó Sharon—, cerraría el porche de atrás y lo uniría al salón con ventanas del techo al suelo. Tiraría ese tabique y pondría ahí una barra para desayunar...» De pronto cortó la línea de su pensamiento. No era asunto suyo. Lo que pasaba era que Neil, Steve y la casa tenían un aspecto tan descuidado...

Pero no era a ella a quien correspondía cambiarlo. La idea de que nunca volvería a ver a Steve, de que no volvería a esperar sus llamadas, de que no sentiría más esos brazos fuertes, tiernos, en torno a ella, de que no volvería a ver esa expresión de alegría en su rostro cuando de pronto ella decía algo que le divertía, la llenó de una soledad vacía. «Eso es lo que siente uno cuando tiene que renunciar a alguien», se dijo. ¿Cómo se sentiría ahora la señora Thompson sabiendo que su hijo había de morir pasado mañana?

Se sabía de memoria su teléfono. Le había hecho una entrevista cuando decidió intervenir en el caso de Ronald. Durante su último viaje la había llamado para participarle la noticia de que muchas personalidades habían prometido llamar a la gobernadora Greene para pedirle que conmutara la sentencia, pero no había logrado encontrarla nunca en casa. Probablemente porque estaba ocupada tratando de conseguir que los vecinos del condado de Fairfield firmaran una petición de clemencia.

¡Pobre mujer! Había demostrado tener tantas esperanzas cuando la visitó por primera vez. Luego, cuando se dio cuenta de que Sharon creía a su hijo culpable, se había alterado tanto...

Pero, ¿qué madre podía creer a su hijo capaz de cometer un crimen? Quizás estuviera ahora en casa. Quizá le sirviera de consuelo hablar con alguien que había trabajado tanto por salvar a Ronald.

Sharon redujo la llama que ardía bajo el cacillo, se acercó al teléfono y marcó un número. Contestaron al primer timbrazo. Le chocó la serenidad que revelaba la voz de la señora Thompson.

—¿Diga?

—Señora Thompson, soy Sharon Martin. Tenía que llamarla para decirle cuánto lo siento, para preguntarle si puedo hacer algo por...

—Ya ha hecho usted bastante, señorita Martin.

La sequedad de la respuesta sorprendió mucho a Sharon.

La señora Thompson continuó hablando:

—Quiero que sepa que si mi hijo muere el miércoles, la considero a usted responsable. Le rogué que no interviniera en esto.

—Señora Thompson, no la entiendo...

—En todos sus artículos usted ha repetido una y otra vez que la culpabilidad de Ronald era evidente, pero que no era ésa la cuestión. Ésa es la cuestión precisamente, señorita Martin. —La voz se hizo estridente de pronto—. Ésa es precisamente la cuestión. Muchas personas que conocen a mi hijo, que saben que es incapaz de hacer daño a nadie, trabajaban para conseguir clemencia. Pero usted obligó a la gobernadora a examinar el caso desde otro punto de vista que no fuera el de los méritos de mi hijo... Seguimos intentándolo y

40

no creo que Dios llegue a enviarme un castigo así, pero si mi hijo muere, no respondo de lo que yo pueda hacerle a usted.

La comunicación se cortó.

Asombrada, Sharon se quedó mirando al auricular que tenía en la mano. ¿Podía creer la señora Thompson que ella...? Sin recuperarse de la sorpresa, colgó el teléfono.

La leche estaba casi hirviendo. Mecánicamente cogió la caja de «Quik» que halló en el armarito y echó una cucharada bien llena en una taza. Añadió el líquido, revolvió la mezcla, y dejó en la pila el cacharro lleno de agua para que la leche no se pegara.

Asombrada todavía del ataque de la señora Thompson, echó a andar hacia el salón.

En ese momento sonó el timbre de la puerta. Neil corrió hacia ella antes de que Sharon pudiera impedírselo.

—Debe ser papá —dijo como si de pronto se le hubiera quitado un gran peso de encima.

«No quiere estar a solas conmigo», pensó Sharon. Oyó que descorría los cerrojos y un escalofrío de alarma recorrió su cuerpo.

—¡Neil, espera un momento! —dijo—. Pregunta antes quién es. Tu papá tiene llave.

Dejó apresuradamente la taza de chocolate y el vaso de jerez sobre una mesa cercana a la chimenea y corrió al vestíbulo.

Neil obedeció. Tenía una mano sobre el pomo de la puerta, pero dudó y preguntó:

—¿Quién es?

—¿Está Bill Lufts en casa? —dijo una voz—. Traigo el generador que encargó para la barca del señor Peterson.

—No es nada —dijo Neil a Sharon—. Sé que el señor Lufts estaba esperándolo.

Hizo girar el pomo y empezaba a abrir la puerta cuando ésta le sacudió con tal fuerza que fue a dar contra la pared. Asombrada, Sharon vio cómo un hombre entraba en el vestíbulo, y, rápido como el rayo, cerraba la puerta tras él. Neil cayó al suelo jadeando. Corrió instintivamente hacia él. Le ayudó a ponerse en pie y mientras le sostenía con un brazo, se volvió hacia el intruso.

Dos impresiones distintas quedaron grabadas en su cerebro. Una el brillo de la mirada del extraño. La otra, la pistola de cañón largo con que éste apuntaba a su cabeza.

8

La junta que se celebraba en la sala de conferencias de la revista *Events* se prolongó hasta las siete y media. La discusión se centró principalmente en el informe Nielson que acababa de salir a la luz y que había resultado extremadamente favorable. Dos de cada tres de los encuestados, todos ellos con estudios universitarios y entre los veinticinco y los cuarenta años de edad, habían afirmado preferir *Events* a *Time* y a *Newsweek*. La circulación de la revista había aumentado además un quince por ciento con respecto al año anterior y la nueva campaña publicitaria regional daba resultados positivos.

Al final de la reunión, Bradley Robertson, presidente del consejo, se puso en pie y habló.

—Creo —dijo—, que todos debemos enorgullecernos de estas estadísticas. Hemos trabajado mucho durante tres años, pero hemos conseguido lo que nos proponíamos. No es fácil lanzar una nueva publicación en estos tiempos y yo, a título personal, quiero afirmar que, en mi opinión, el talento creador de Steve Peterson, ha constituido un factor decisivo en nuestro éxito.

Una vez acabada la junta, Steve bajó con Robertson en el ascensor.

—Gracias otra vez, Brad —dijo—. Has estado muy generoso.

El anciano se encogió de hombros.

—Sólo he sido sincero. Lo hemos conseguido, Steve. En poco tiempo hemos logrado un beneficio razonable. Y el éxito no puede llegar más oportunamente. Sé que no te ha sido fácil.

Steve sonrió sombríamente.

—No lo ha sido, no.

Llegaron al vestíbulo y la puerta del ascensor se abrió automáticamente.

—Buenas noches, Brad. Tengo que darme prisa. Quiero tomar el tren de las siete treinta...

—Espera un momento, Steve. Te vi en el programa «Hoy» esta mañana.

—Sí.

—Creo que has estado estupendo. Y también Sharon. Personalmente te confieso que estoy de acuerdo con ella.

—No eres el único.

—Me gusta esa chica, Steve. No hay muchas tan inteligentes como ella... Y es guapa. Tiene clase.

—Estoy de acuerdo.

—Steve, sé cuánto has sufrido durante los dos últimos años. No quiero meterme en tus asuntos, pero Sharon sería ideal para ti... y para Neil. No dejes que vuestras opiniones, por importantes que sean, os separen.

—Espero que no sea así —respondió Steve precipitadamente—. Al menos ahora podré ofrecerle a Sharon algo más que una situación económica difícil y una familia ya constituida.

—Para ella sería también una inmensa suerte teneros a ti y a Neil. Ven, tengo el coche fuera. Te dejaré en Grand Central.

—¡Estupendo! Sharon está en casa esta noche y no quiero perder el tren.

El automóvil de Bradley esperaba a la puerta. El chófer maniobró hábilmente entre el complicado tráfico de la ciudad. Steve se arrellanó en su asiento y suspiró de forma casi inconsciente.

—Se te nota cansado, Steve. Esta ejecución de Thompson te está afectando mucho...

Steve se encogió de hombros.

—Es cierto. Naturalmente me trae muchos recuerdos. Todos los periódicos de Connecticut han sacado a colación la muerte de Nina. Sé que los niños deben hablar de eso en el colegio y me preocupa lo que pueda oír Neil. Lo siento infinitamente por la madre de Thompson... y por él también.

—¿Por qué no te llevas fuera unos días a Neil hasta que pase todo esto?

Steve meditó unos momentos.

—Quizá lo haga. No es mala idea.

El automóvil se aproximaba a la estación, a la entrada de la avenida Vanderbilt. Bradley Robertson meneó la cabeza melancólicamente.

—Eres demasiado joven para recordar, Steve, pero en los años treinta Grand Central era el nudo de comunicaciones más importante de todo el país. Había hasta un serial de radio... —Entornó los ojos—. «La estación de Grand Central, encrucijada de un millón de vidas», creo que ése era el subtítulo.

Steve rió.

—Y de pronto llegó la edad del *jet*. —Abrió la puerta—. Gracias por acercarme.

Sacando del bolsillo su carnet de abonado, entró apresuradamente en la terminal. Tenía cinco minutos hasta que saliera el tren y decidió llamar a Sharon para decirle que, definitivamente, tomaba el tren de las siete y media.

Se encogió de hombros. «No te engañes —pensó—. Lo que quieres es hablar con ella, asegurarte de que no ha cambiado de idea y de que está en tu casa.»

Entró en una cabina de teléfono. No tenía las monedas suficientes e hizo la llamada a cobro revertido.

El timbre del teléfono sonó una vez... dos veces... tres veces...

—Llamo pero no contestan.

—Tiene que haber alguien. Siga llamando, señorita, por favor.

—Sí, señor.

El timbre continuó sonando. A la quinta llamada, la telefonista intervino de nuevo.

—Siguen sin contestar. ¿Quiere volver a llamar más tarde, por favor?

—Señorita, ¿puede ver si se ha equivocado de número? ¿Está segura de que llama al 203-565-1313?

—Volveré a marcar.

Steve contemplaba ausente el auricular que tenía en la mano. ¿Dónde podían estar? Si no había ido Sharon, ¿podía ser que los Lufts hubieran llevado a Neil a casa de sus amigos, los Perry?

No. Sharon le habría llamado si en el último momento hubiera decidido no ir a su casa.

¿Y si Neil había tenido un ataque de asma? Supongamos que hubieran tenido que llevarle precipitadamente al hospital...

No era una posibilidad nada descabellada teniendo en cuenta que en el colegio habría oído hablar de la ejecución de Thompson.

Últimamente Neil había tenido más pesadillas que de costumbre.

Eran las siete y veintinueve. Le quedaba sólo un minuto. Si trataba de llamar al hospital, al médico, o a los Perry, perdería el tren y tendría que esperar cuarenta y cinco minutos para tomar el siguiente.

Quizá no funcionaran bien las líneas a causa del tiempo. A veces tardaban bastante en darse cuenta.

Empezó a marcar el número de los Perry, pero de pronto cambió de idea. Colgó el auricular y recorrió la estación a grandes zancadas. Bajó las escaleras que conducían al andén de dos en dos y subió al vagón en el preciso momento en que las puertas se cerraban.

En ese mismo instante un hombre y una mujer pasaban ante la cabina telefónica que él acababa de abandonar. La mujer llevaba un abrigo largo y gastado de color gris oscuro. Cubría su cabeza un pañuelo azulado cubierto de manchas. Un hombre la llevaba cogida del brazo. Con la otra mano apretaba contra sí una pesada bolsa de lona color caqui.

45

9

Sharon miró atónita las fuertes manos que sostenían la pistola, aquellos ojos que miraban raudos de un lugar a otro, al interior del salón, a las escaleras, su cuerpo...

—¿Qué quiere? —susurró.

Bajo el hueco que formaba su brazo sentía el violento temblor que sacudía el cuerpo de Neil. Estrechó al niño contra ella.

—Eres Sharon Martin —fue la respuesta, más que pregunta.

Era una voz monótona la que habló, sin inflexiones. Sharon sintió en la garganta un fuerte latido que la ahogaba. Trató de tragar saliva.

—¿Qué quiere? —preguntó de nuevo.

Neil exhalaba al respirar un ligero silbido. ¿Y si el miedo le provocaba un súbito ataque de asma? Se ofrecería a cooperar.

—Tengo noventa dólares en el bolso...

—¡Cállate!

El tono sereno que acompañó a esta palabra, le heló la sangre en las venas. El desconocido depositó en el suelo la bolsa que llevaba. Era grande, de lona color caqui como las que usaban en el Ejército. Del bolsillo sacó un rollo de cuerda y un paquete de vendas. Los dejó junto a ella.

—Véndale los ojos al chico y átale —ordenó.

—No. No lo haré.

—Será mejor que me obedezcas.

Sharon bajó los ojos y miró a Neil. Éste miraba fijamente al desconocido. Tenía los ojos nublados, las pupilas enormes. Recordó que tras la muerte de su madre había permanecido largo tiempo en estado de *shock*.

—Neil, yo...

¿Cómo podía ayudarle, tranquilizarle?

—Siéntate.

La voz del desconocido se dirigía ahora a Neil con tono imperioso. El niño lanzó a Sharon una mirada suplicante y luego se sentó medio encogido en el primer peldaño de la escalera.

La muchacha se arrodilló a su lado.

—No tengas miedo, Neil. Yo estoy contigo.

Tanteó el suelo hasta encontrar la venda, que ató después a la cabeza del niño.

Miró hacia arriba. El intruso contemplaba a Neil. Le apuntaba con la pistola. Oyó un sonido metálico y apretó contra el suyo el cuerpo infantil.

—No..., no... No dispare.

El desconocido la miró. Lentamente bajó el arma que quedó colgando de sus dedos. «Le habría matado», pensó. Estaba dispuesto a hacerlo.

—Ata al niño, Sharon.

En la orden había un cierto deje de intimidad.

Sharon cogió la cuerda con manos temblorosas y obedeció. Ató las muñecas de Neil tratando de dejar las ligaduras lo suficientemente flojas como para que la sangre pudiera seguir circulando. Cuando acabó su tarea posó sus manos sobre las del niño.

El desconocido se acercó, pasó junto a ella y cortó el cabo de la cuerda con un cuchillo.

—Date prisa. Átale los pies.

Captó la ansiedad de su voz y obedeció inmediatamente. A Neil le temblaban tanto las rodillas que las piernas se le separaban convulsivamente. Le rodeó los tobillos con la cuerda y se los amarró.

—Ahora amordázale.

—Se ahogará. Tiene asma...

La protesta expiró en sus labios. El rostro del hombre había cambiado. Estaba más pálido, más tenso. Sus sienes latían bajo una piel tirante. Estaba a punto de dar rienda suelta a su pánico. Desesperada, Sharon amordazó a Neil dejando la mordaza lo más floja posible.

Si al menos el niño no se defendiera...

Una mano la apartó de Neil de un empujón y cayó de bruces al suelo. El hombre se inclinaba ahora sobre ella. Notó la presión de su rodilla. Le ponía las manos a la espalda. Sintió la mordedura de la cuerda en la piel de sus muñecas. Abrió la boca para protestar y el hombre le introdujo en ella una bola de gasas. Le lió violentamente un trozo de venda en torno a la cabeza y se la ató en la nuca.

No podía respirar. «¡Por favor..., no!» Unas manos le recorrieron los muslos, morosas. El hombre le unió las piernas. Sintió la presión de la cuerda sobre la suave piel de las botas.

El desconocido abrió la puerta principal. El aire, frío y húmedo, azotó el rostro de Sharon. Pesaba unos cincuenta y cinco kilos, pero el secuestrador la transportaba apresuradamente sobre el resbaladizo suelo del porche como si de una pluma se tratara. Estaba muy oscuro. Debía haber apagado las luces. Sus hombros chocaron contra algo frío, metálico. Un coche. Trató de inhalar profundamente a través de la nariz, de adaptar sus ojos a la oscuridad. Tenía que aclarar sus pensamientos, dominarse, pensar...

Una puerta rechinó al abrirse. Sharon sintió que caía. Su cabeza chocó con un cenicero abierto. Sus codos y sus tobillos recibieron el impacto del golpe cuando cayó en el suelo húmedo y maloliente. Se hallaban en la parte trasera de un automóvil.

Oyó unas pisadas que se alejaban haciendo crujir el hielo. El hombre regresaba a casa. ¡Neil! ¡Qué iría a hacerle a Neil! Trató frenéticamente de liberar sus manos. Una punzada de dolor le recorrió los brazos. La tosca cuerda se clavaba en sus muñecas. Recordó cómo el extraño había mirado a Neil, cómo había quitado el seguro del arma...

Pasaron varios minutos. «¡Por favor, Señor, por favor!», pensó. El sonido de una puerta. Unas pisadas que se acercaban al coche. La portezuela que se abría de golpe. Los ojos de Sharon iban adaptándose a la oscuridad... A través de las sombras adivinó la silueta del desconocido. Llevaba algo. Era la bolsa de lona. «¡Dios mío!» ¡Neil! Iba dentro de la bolsa. Lo sabía.

El hombre se inclinó hacia el interior del coche, depositó la bolsa sobre el asiento delantero y la dejó caer después al suelo. Sharon oyó el golpe seco. Haría daño al niño. Le haría daño. Una portezuela se cerró. Unas pisadas sonaron en torno al coche. Ahora se abría la puerta correspondiente al asiento del conductor. Una sombra. Una respiración agitada. El desconocido la miraba.

Sharon sintió caer algo sobre ella, una tela áspera que le raspaba la mejilla. Una manta o un abrigo. Movió la cabeza tratando de liberarse de aquel olor a sudor seco que la asfixiaba.

El motor se puso en marcha. El automóvil empezó a moverse.

«Concéntrate en la dirección que sigue. Recuerda todos los detalles. Luego la Policía querrá saberlo.» El coche doblaba a la izquierda para enfilar la calle. Hacía frío, un frío intenso. Sharon comenzó a temblar y el movimiento de sus miembros tensó aún más los nudos de sus ligaduras. Las cuerdas se clavaban en sus piernas, sus brazos, sus muñecas... Todo su cuerpo profirió una protesta. ¡Deja de moverte! ¡Calma! ¡Tranquilízate! No te dejes dominar ahora por el pánico.

Nieve. Si seguía nevando durante unas horas, el coche dejaría huellas. Pero no. Era más bien aguanieve. La oía chocar violentamente contra los cristales de las ventanillas. ¿Adónde irían?

La mordaza. La ahogaba. Calma, Neil. ¿Cómo podría respirar dentro de esa bolsa? Se asfixiaría.

El coche fue adquiriendo más velocidad. ¿Adónde les llevaría?

10

Roger Perry miraba distraídamente la calle Drift-wood a través de la ventana del salón. Era una noche-chita de perros y daba gusto estar en casa. Reparó en cuanto más rápidamente caía ahora la nieve que un cuarto de hora antes, cuando había llegado él a casa.

Era curioso. Todo el día había tenido una sensación de temor que le había mantenido tenso, nervioso. Glenda no estaba muy bien desde hacía dos semanas. Eso era. Él solía decirle que era una de esas pocas muje-res afortunadas que con cada cumpleaños se ponían más guapas. Sus cabellos, ahora plateados, acentuaban el azul aciano de sus ojos y su maravillosa tez. Cuan-do los niños eran pequeños vestía la talla catorce, pero hacía diez años había adelgazado tanto que desde en-tonces llevaba la talla ocho. «Quiero estar guapa en mis años de decadencia», decía Glenda bromeando. Pero esta mañana, al llevarle el desayuno a la cama, había nota-do la palidez de su rostro, su extrema delgadez. Llamó al médico desde la oficina y ambos se mostraron de acuerdo en que era la ejecución del miércoles lo que la tenía tan desmejorada. Su testimonio había contribuido a decidir la culpabilidad del hijo de los Thomspon.

Roger meneó a cabeza. ¡Qué asunto tan terrible! Te-rrible para ese desgraciado muchacho, para todos los relacionados con el caso. Steve, Neil, la madre del con-denado a muerte, Glenda... Su esposa no podía sopor-tar ya estas tensiones. Inmediatamente después de pres-tar testimonio, sufrió una embolia. Roger rechazó men-talmente el temor de que otro ataque pudiera acabar con su vida. Glenda tenía sólo cincuenta y ocho años. Ahora que sus hijos eran mayores, quería disfrutar de estos años en su compañía. Por suerte había accedido al fin a tomar una ama de llaves. La señora Vogler empezaría a trabajar a la mañana siguiente. Vendría todos los días de diario de nueve a una. Así Glenda podría descansar sin preocuparse de la casa.

Se volvió al oír a su esposa entrar en la habitación. Llevaba una pequeña bandeja.

—En este momento iba a hacerlo yo —protestó.

—No importa. Tienes cara de necesitarlo.

Le alargó un vaso de bourbon con hielo y se quedó de pie junto a él en actitud amistosa.

—Sí que lo necesitaba. Gracias, querida.

Ella bebía «Coca-Cola». El hecho de que no tomara un cóctel con él antes de la cena sólo podía significar una cosa.

—¿Has tenido dolores en el pecho hoy?

No necesitaba preguntarlo.

—Sólo unos pocos...

—¿Cuántas pastillas de nitro te has tomado?

—Únicamente dos. No te preocupes, estoy bien. ¡Mira! ¡Qué curioso!

—¿Qué?

«No cambies de conversación», pensó Roger.

—La casa de Steve. Las luces del porche están apagadas.

—Por eso me parecía la calle de pronto tan oscura —dijo Roger. Hizo una pausa—. Estoy seguro de que estaban encendidas cuando llegué a casa.

—Me pregunto por qué las habrán apagado. —La voz de Glenda revelaba preocupación—. Dora Lufts es tan nerviosa. Quizá sea mejor que te acerques a ver...

—No, querida. Estoy seguro de que el hecho tiene una explicación muy sencilla.

Glenda suspiró.

—Creo que lo que me pasa es..., bueno, lo que ocurrió en esa casa... He pensado mucho en ello en estos últimos días.

—Ya lo sé.

Rodeó los hombros de su esposa con un brazo en actitud protectora y sintió su cuerpo rígido, envarado.

—Vamos, ven a sentarte. Tranquilízate.

—¡Espera, Roger! ¡Mira! Sale un coche de la avenida de Steve. Lleva los faros apagados. Me pregunto quién...

—Deja ya de preocuparte y ven a sentarte —dijo Roger con tono firme—. Traeré un poco de queso.

—He sacado el «Brie». Está encima de la mesa de la cocina.

Haciendo caso omiso de la ligera presión de la mano masculina sobre su codo, Glenda introdujo una mano en el bolsillo de su larga falda acolchada y sacó las gafas. Se las puso, se inclinó hacia delante de nuevo, y miró el contorno oscuro y silencioso de la casa que se alzaba al otro lado de la calle, la opuesta diagonalmente a la suya. Pero el coche que saliera de la avenida de Steve Peterson había pasado ya frente a su ventana y avanzaba calle abajo perdiéndose entre los copos de nieve que revoloteaban al viento.

11

—Después de todo, mañana será otro día.

Agazapada en un peldaño de la escalera, iluminada su voz por un rayo de esperanza, Escarlata O'Hara murmuró las últimas palabras de la película. La música se elevó en crescendo y la imagen femenina que llenaba la pantalla fue sustituida por una vista de Tara.

Marian Vogler suspiró mientras la música se apagaba y se encendían las luces de la sala. «Ya no se hacen películas como ésta», pensó. No quería ver la continuación. Comparada con lo que acababa de ver, casi seguro que sufriría una desilusión.

Se levantó con desgana. Había llegado el momento de descender de las nubes. Conforme caminaba por la sala, en su rostro agradable cuajado de pecas, volvieron a dibujarse las arrugas que reflejaban habitualmente sus muchas preocupaciones.

Los niños necesitaban ropa nueva. Pero al menos Jim había accedido al fin a dejarle aceptar ese trabajo de ama de llaves que le habían ofrecido.

Él iría a la fábrica en el coche de un amigo para que ella pudiera utilizar el suyo. Antes de ir a casa de los Perry, tendría tiempo de arreglar a los niños para el colegio y ordenar un poco la cocina y los dormitorios. Mañana era su primer día de trabajo y estaba un poco nerviosa. Hacía doce años que no trabajaba..., desde que nació Jim, el pequeño. Pero si algo sabía hacer en este mundo era mantener una casa bien limpia y reluciente.

Pasó del calor del cine al frío intenso de aquella cruda noche de marzo. Tiritando, dobló hacia la derecha y echó a andar precipitadamente. Pequeñas piedras de granizo mezclado con nieve azotaron su rostro. Se hundió en el gastado cuello de su abrigo.

Había dejado el coche en el aparcamiento que había detrás del cine. Gracias a Dios que habían decidido al fin gastarse el dinero en arreglarlo. Tenía ya ocho años, pero la carrocería estaba en buen estado y, como decía Jim, más valía gastarse cuatrocientos dólares en reparar su propio coche, que tirar ese mismo dinero comprando el que otro quería sacudirse de encima.

Marian había salido tan de prisa, que iba a la cabeza de los espectadores que salían del local. Caminó apresuradamente hacia la zona de aparcamiento. Jim había prometido tenerle la cena preparada y estaba hambrienta. Caminaba rápida y alegre.

Pero le había sentado bien salir. Su marido había notado su depresión y le había dicho: «Tres dólares no van a sacarnos de ningún apuro. Yo cuidaré de los niños. Diviértete, cariño, y olvídate de las facturas.»

Sus palabras resonaban en los oídos de Marian en el momento en que ésta aminoró el paso y se detuvo con el ceño fruncido. Estaba segura de que había aparcado el coche allí, a la derecha. Recordaba haber visto el anuncio del escaparate del Banco. Este anuncio que decía: «Pídanos un préstamo. Estamos deseando dárselo.» «Menudos hipócritas —se dijo—. Te lo dan si no lo necesitas, pero si estás con el agua al cuello...»

Habían aparcado allí. Estaba segura. Ahora veía el escaparate iluminado del Banco, el anuncio legible aún a través de la nieve.

Diez minutos después Marian llamaba a Jim desde la Comisaría. Entrecortadas las palabras por la ira, tragando las lágrimas que le anegaban la garganta, sollozó:

—Jim, Jim... No, estoy bien, pero un sinvergüenza nos ha robado el coche.

12

Mientras el automóvil se abría paso entre la nevada cada vez más espesa, revisó mentalmente el horario que se había trazado. En este momento estarían echando de menos el coche. Probablemente la mujer miraría primero por los alrededores para asegurarse de que no se había confundido respecto al lugar donde lo había dejado. Luego llamaría a la Policía o a su casa. Para cuando los coches-patrulla recibieran aviso del robo, él se hallaría muy lejos del alcance de todos los sabuesos de Connecticut.

No es que ninguno de ellos fuera a esforzarse mucho por encontrarlo. Probablemente se encogerían de hombros al oír la orden de búsqueda de un coche valorado en un par de cientos de dólares.

¡Tenía a Sharon en su poder! La excitación le produjo una alegría que le rebosaba por los poros. Recordó el calor que había sentido al atarla. Su cuerpo era esbelto, pero sus muslos y sus caderas eran torneados, suaves... Lo había notado aun a través de la gruesa falda de lana. Ella se había hecho la asustada, había fingido defenderse mientras él la llevaba al coche, pero estaba seguro de que había apoyado la cabeza en su pecho deliberadamente.

Tomó la autopista de Connecticut hasta llegar a la del río Hutchinson y siguió esta última en dirección Sur hasta llegar a la que atravesaba el condado y desembocar finalmente en la autopista Henry Hudson. Se sentía a salvo en aquellas carreteras tan transitadas, pero cuando se aproximaba ya a la carretera del West Side que le llevaría al centro de Manhattan, se dio cuenta de que iba un poco retrasado con respecto a su horario. ¿Y si estuvieran buscando ya el coche?

Los otros conductores iban a muy poca velocidad. ¡Imbéciles! Tenían miedo de rodar sobre una carretera helada, miedo de arriesgarse, y con ello le creaban a él un enorme problema. La sien comenzó a latirle. Sintió el aumento de la tensión y presionó sobre la vena con un dedo. Quería llegar a la estación a las siete lo más tarde, antes de que pasara la hora punta. Confundido entre la masa de viajeros, pasarían inadvertidos.

Eran las siete y diez cuando abandonó la carretera del West Side en la salida de la Calle 46. Avanzó media manzana en dirección al Este, hizo un rápido giro a la derecha para introducirse en un callejón que rodeaba un almacén. Allí no había vigilancia... y sólo necesitaba un minuto.

Paró el coche y apagó los faros. La nieve, fina y seca, se adhería a sus cejas y a su rostro mientras abría la puerta. ¡Qué frío! Hacía tanto frío...

Con intensa concentración en la mirada, recorrió velozmente la oscura zona de aparcamiento. Satisfecho, se acercó al interior del coche y levantó el abrigo que había arrojado sobre Sharon. La mirada de la muchacha le quemó el rostro. Riendo ahogadamente sacó una diminuta máquina de fotos y apretó el disparador. El inesperado flash obligó a la muchacha a cerrar los ojos.

Luego sacó del bolsillo interior de la chaqueta una linterna fina como un lápiz. Esperó a que su mano estuviera bien hundida en el coche para encenderla.

Deliberadamente, dirigió un rayo de luz hacia los ojos de Sharon aproximándolo lentamente hasta que la linterna quedaba a una pulgada aproximadamente del rostro de la muchacha y alejándolo después. Ella cerró los ojos con fuerza y trató de volver la cara.

Era un placer divertirse con Sharon a su antojo. Con una carcajada sorda, breve, la cogió por los hombros y la obligó a echarse de bruces sobre el suelo del automóvil. Con unas cuchilladas rápidas cortó las ligaduras que sujetaban sus muñecas y sus tobillos. Un suspiro ahogado por la mordaza. Un súbito estremecimiento del cuerpo femenino.

—Así estás mejor, ¿eh, Sharon? —susurró—. Ahora voy a quitarte la mordaza. Un solo grito y el niño muere, ¿entendido?

No esperó a ver el gesto de asentimiento de la muchacha antes de cortar la venda que la amordazaba. Sharon escupió la bola de gasas que le llenaba la boca. Con un enorme esfuerzo trató de dominar una queja.

—Por favor, Neil... —Su susurro era casi inaudible—. Se asfixiará.

—Eso depende de ti.

El desconocido la cogió del brazo y tiró hasta obligarla a ponerse de pie sobre la acera, a su lado. Sharon sintió confusamente la nieve sobre su rostro. Estaba mareada. Sentía unas contracciones frenéticas en los músculos de las piernas y de los brazos. Estuvo a punto de caer al suelo, pero el desconocido la sostuvo.

—Ponte esto.

Ahora su voz sonaba distinta, nerviosa.

Sharon extendió la mano y sintió al tacto un tejido basto, grasiento... Era el abrigo que antes había arrojado sobre ella. Levantó el brazo derecho. El hombre lo enfundó en una manga que la envolvió en la prenda. Luego introdujo el otro brazo en la manga izquierda.

—Ponte este pañuelo.

Estaba sucio. Trató de plegarlo. Era muy grande y

parecía de lana. Al fin logró anudarlo bajo la barbilla.

—Vuelve a entrar en el coche. Cuanto antes acabemos, antes quitaré al chico la mordaza.

La empujó violentamente al interior del vehículo. La bolsa de lona caqui seguía sobre el suelo. Dio un traspiés tratando de no golpearla con las botas. Se inclinó sobre ella, pasó las manos por encima y sintió el contorno de la cabeza de Neil. Vio que al menos la tira que cerraba la boca de la bolsa no estaba atada. El niño podría respirar.

—Neil, Neil... Estoy aquí. No va a pasarnos nada...

¿Se movía o eran imaginaciones suyas? ¡Dios mío! ¡Que no se asfixiara!

El desconocido rodeó el automóvil a grandes zancadas, se instaló en el asiento del conductor, e hizo girar la llave del encendido. El coche comenzó a avanzar lentamente hacia delante.

¡Estamos en el centro de Manhattan! El descubrimiento ayudó a Sharon, le ayudó a enfocar la situación. Tenía que conservar la calma. Tenía que hacer lo que le ordenara aquel hombre, fuera lo que fuese. El coche se acercaba a Broadway. Vio el reloj de Times Square que marcaba las siete y veinte... Eran sólo las siete y veinte.

A esa hora exactamente había llegado de Washington la noche anterior. Se había duchado, había puesto unas chuletas al fuego y, mientras se hacían, había bebido unos sorbos de «Chablis». Estaba cansada y nerviosa y quería tranquilizarse antes de empezar a escribir su artículo.

Había pensado en Steve, en cuánto le había echado de menos, hasta tal punto que aquellas tres semanas que había pasado separada de él se habían convertido en una pesadilla.

Él la había telefoneado. El sonido de su voz revelaba una extraña combinación de alegría y ansiedad. Pero la conversación había sido breve, casi impersonal.

—Hola, sólo quería saber si habías llegado bien. He oído que en Washington hace un tiempo terrible y que la tormenta viene para acá. Te veré en los estudios.

—Luego se había detenido para añadir a los pocos segundos—. Te he echado mucho de menos. No olvides que mañana vienes a pasar la noche a casa.

Ella había colgado sintiendo intensificada su necesidad de verle y al mismo tiempo, desilusionada, preocupada. Pero, ¿qué había esperado? ¿Qué pensaría él ahora, al llegar a su casa y encontrarla vacía? ¡Steve!

En la Sexta Avenida pararon ante un disco rojo. Un coche-patrulla de la Policía se detuvo junto al suyo. Sharon vio al conductor, un oficial joven, levantarse ligeramente la visera que caía sobre su frente. El policía miró por la ventanilla y los ojos de ambos se encontraron. Notó que el automóvil empezaba a moverse de nuevo. Siguió con la vista clavada en el policía, deseando internamente que él continuara mirándola, que adivinara que sucedía algo extraño.

De pronto sintió en el costado la presión de un objeto duro y miró hacia abajo. El desconocido empuñaba un cuchillo con el que la amenazaba.

—Si nos siguen, tú serás la primera en morir —dijo—. Y aún me quedará tiempo para el chico.

Hablaba con una naturalidad gélida. El coche de la Policía les seguía a corta distancia. De pronto la luz del techo comenzó a girar. Sonó la sirena. ¡No, por favor...! El coche-patrulla aceleró rápidamente, pasó raudo junto al que ellos ocupaban y desapareció entre el tráfico.

Doblaron la Quinta Avenida en dirección al Sur. Casi no se veían peatones por las calles. La tormenta era demasiado fuerte, las aceras estaban demasiado heladas para transitar por Nueva York.

El coche giró rápidamente a la izquierda y enfiló la Calle 44. ¿Adónde les llevaba? La Calle 44 no tenía salida. Quedaba bloqueada por la estación de Grand Central. ¿Es que no lo sabía?

El automóvil avanzó dos manzanas y al llegar a la Avenida Vanderbilt dobló a la derecha. Finalmente aparcó junto a la entrada del «Hotel Biltmore», frente por frente a la terminal.

—Nos bajamos —dijo el hombre—. Vamos a entrar

en la estación. Camina a mi lado y que no se te ocurra intentar nada. Llevaré la bolsa debajo del brazo y como alguien se fije en nosotros le clavo el cuchillo al niño.

Bajó la vista para mirar a Sharon. Sus ojos brillaban de nuevo. Le latía la sien.

—¿Entendido?

Sharon asintió. ¿Podría oírle Neil?

—Un momento. —Seguía mirándola. Estiró el brazo por delante de ella para abrir la guantera, y sacó del interior de ésta unas gafas oscuras—. Póntelas.

Abrió la puerta del coche de un empujón, miró en torno suyo y se bajó apresuradamente. La calle estaba desierta. Sólo había unos cuantos taxis alineados en el callejón cubierto que había junto a la terminal. Nadie que pudiera mirarlos ni preocuparse de ellos...

«Nos lleva a un tren —pensó Sharon—. Antes de que empiecen siquiera a buscarnos estaremos a muchas millas de aquí.» De pronto sintió un dolor en la mano izquierda. ¡La sortija! La sortija de montura antigua que le había regalado Steve el día de Navidad. La piedra había quedado entre dos dedos cuando el hombre le ató las manos, y la montura le había producido un corte. Casi sin pensarlo, Sharon se quitó el anillo. Apenas había tenido tiempo de insertarlo en la ranura que quedaba entre el asiento y el respaldo, cuando la puerta del coche se abrió.

Salió del automóvil con paso inseguro y quedó de pie sobre la acera. El hombre la aferró por una muñeca y miró cuidadosamente el interior del coche. Se inclinó y recogió apresuradamente la mordaza y las cuerdas que había cortado para soltarla, pero no reparó en la sortija.

Se inclinó, recogió la bolsa y ató fuertemente la tira de lona que la cerraba. Neil podía asfixiarse en esas condiciones.

—Mira —le dijo. Sharon dirigió la mirada al cuchillo que él empuñaba, a la hoja de acero oculta por la amplia manga del abrigo. Apuntaba al corazón del niño—. Si intentas algo, se la clavo. ¡Vamos!

La cogió del brazo y la obligó a cruzar la calle ajustando el paso al suyo. A los ojos de todos eran un hombre y una mujer que se refugiaban en la estación huyendo del frío, un hombre y una mujer normales y corrientes en todos los aspectos, anónimos dentro de sus ropas baratas, y con una bolsa de lona en vez de una maleta.

A pesar de las gafas oscuras, la potente iluminación de la terminal obligó a Sharon a guiñar los ojos. Pasaron a pocos pasos de distancia de un quiosco de Prensa. El vendedor les miró indiferente. Empezaron a bajar las escaleras hacia el primer descansillo. Un enorme anuncio de «Kodak» atrajo la atención de Sharon: «Capture la belleza allá donde la encuentre.»

Una carcajada histérica pugnó por escapar de sus labios. ¿*Capture*? ¡*Capture*! El reloj. El famoso reloj situado en el centro de la estación, justo debajo de la cabina de información. Desde que esa compañía de inversiones había construido allí su stand, era más difícil verlo. Sharon había leído en alguna parte que cuando la Policía quería avisar de una emergencia a los vigilantes de la terminal, encendían seis luces intermitentes rojas en torno a la base de ese reloj. ¿Qué pensarían si supieran lo que ocurría en ese momento?

Eran las siete y veintinueve. Steve. *Iba a tomar el tren de las siete y media*. Estaría allí ahora mismo, en un tren parado en esa terminal, en un tren que dentro de un minuto se lo llevaría lejos. ¡Steve! Quiso gritar... ¡Steve!

Unos dedos de acero se clavaron en su brazo.

—¡Por aquí!

Ahora la obligaban a bajar las escaleras que conducían al nivel inferior de la terminal. La hora punta había pasado. La estación no estaba ya muy concurrida... y menos aún en el nivel inferior. ¿Debía fingir una caída para atraer la atención? No. No podía arriesgarse. Pensó en el brazo de hierro que rodeaba el maletín de lona, en el cuchillo listo para hundirse en el corazón de Neil...

Ya estaban en el nivel inferior. A la derecha vio la entrada al restaurante «La Ostrería». Un mes antes se había encontrado allí con Steve para tomar en su compañía un almuerzo rápido. Se sentaron los dos en la barra ante sendos cuencos llenos de sopa de ostras humeante... Steve... ¡Encuéntranos! ¡Ayúdanos! El hombre la empujó hacia la izquierda.

—Vamos a bajar por ahí. No tan de prisa...

Era el andén ciento doce. El letrero decía: «Mount Vernon: 8:10.» Probablemente acababa de partir un tren. ¿Para qué querría llevarles a Mount Vernon?

A la izquierda de la rampa que conducía a la vía, Sharon vio a una anciana humildemente vestida. De su mano pendía una bolsa de la compra. Llevaba un chaquetón de corte masculino y una vieja falda de lana. Las medias de algodón le colgaban arrugadas sobre los tobillos. La miraba fijamente. ¿Habría notado algo raro en ellos?

—Sigue andando...

Bajaban la rampa en dirección al andén ciento doce. Sus pisadas se transformaban en un retumbar metálico que el eco repetía. El murmullo de las voces se alejaba. Al calor de la terminal sucedió una corriente fría, entumecedora.

El andén estaba desierto.

—Por aquí.

Ahora la obligaba a andar más de prisa en torno a la plataforma adonde iba a morir la vía. Luego, otra rampa descendente. En algún lugar cercano se filtraba agua. ¿Adónde irían? Las gafas oscuras le dificultaban de nuevo la visión. Un sonido rítmico, un retumbar sordo..., una bomba, una bomba neumática... Bajaban a las profundidades de la terminal, a lo más hondo. ¿Qué iría a hacer con ellos? Se oía el traqueteo de los trenes... Cerca debía haber un túnel.

El suelo de cemento seguía descendiendo. El pasaje se ensanchaba. Se hallaban en una zona que tendría las dimensiones de medio campo de fútbol, una zona de cañerías, pozos de ventilación y motores trepidantes. A la izquierda, a unos veinte pies de distancia, arrancaba del suelo una estrecha escalera.

—Por ahí... De prisa.

El hombre respiraba ahora con dificultad. Le oía jadear tras ella. Subió las escaleras a trompicones, contando inconscientemente los peldaños. Diez..., once..., doce... Se halló en un rellano estrecho ante una gruesa puerta de metal.

—Aparta.

Sintió el peso de un cuerpo contra el suyo y se hizo a un lado rápidamente. El hombre dejó en el suelo la bolsa de lona y le dirigió una mirada rápida. En medio de la oscuridad vio brillar en su frente gruesas gotas de sudor. Ahora sacaba una llave y la introducía en la cerradura. Un leve chirrido y el picaporte giró. El desconocido abrió la puerta y obligó a Sharon a entrar de un empujón. Le oyó recoger la bolsa del suelo con un gruñido. La puerta se cerró tras ellos. A través de la oscuridad reinante oyó el ruido de un conmutador.

Medio segundo más y los polvorientos tubos fluorescentes comenzaron a parpadear sobre sus cabezas.

Sharon miró en torno suyo, al suelo y a las paredes de aquella habitación sucia y húmeda, a las pilas oxidadas, al montón de tablones, al catre mugriento, al cajón de madera vuelto boca abajo y a una maleta negra que había en el suelo.

—¿Dónde estamos? ¿Qué quiere de nosotros?

Había hablado casi en un susurro, pero su voz retumbó en las paredes de aquel cuarto que parecía una mazmorra.

El secuestrador no respondió. La empujó hacia delante y se dirigió después hacia el catre. Depositó sobre él el bolsón de lona y luego flexionó los brazos. Sharon se puso de rodillas y trató de desatar la tira que cerraba la bolsa. Al fin lo consiguió. Abrió el bolsón y hundió las manos en él hasta tocar la figura que estaba agazapada en su interior. Liberó primero la cabeza de Neil. Frenéticamente, tiró de la mordaza hasta dejarla colgando bajo la barbilla del niño.

Neil buscó anhelante el aire con un jadeo entrecortado que también era llanto. Sharon oyó el resuello en su garganta y sintió las contracciones de su pecho. Sosteniendo la cabeza infantil con un brazo trató de desa-

62

tar la venda que cubría los ojos de Neil.

—Deja eso en paz.

La orden fue violenta, terminante.

—¡Por favor! —gritó—. Está enfermo. Tiene un ataque de asma. ¡Ayúdele!

Miró hacia arriba y tuvo que morderse los labios para no proferir un grito.

Encima del catre había tres enormes fotografías pegadas a la pared con cinta adhesiva.

Una mujer corriendo con las manos extendidas hacia el frente, volviéndose a mirar atrás con el horror impreso en el rostro y la boca contraída en un grito de terror.

Una mujer rubia tendida en el suelo junto a un coche, las piernas contorsionadas bajo su cuerpo.

Una joven morena, menor de veinte años, con una mano en torno a la garganta y una mirada de asombro en sus ojos abiertos de par en par.

13

Muchos años atrás, Lally había sido maestra de escuela en Nebraska. Ya jubilada, sin familia, había venido a Nueva York de turismo. Nunca regresó a su pueblo.

La noche en que llegó a la estación de Grand Central fue la decisiva. Asombrada y atemorizada, transportaba su maleta a través del enorme vestíbulo, cuando miró hacia arriba y se detuvo. Muy pocas personas se dan cuenta inmediatamente de que el cielo que fulgura en esa inmensa bóveda está pintado al revés, pero Lally lo supo inmediatamente. Las estrellas que correspondían al Este, estaban pintadas al Oeste.

Se rió en voz alta. Sus labios se entreabrieron descubriendo unos enormes dientes delanteros. Algunos transeúntes se detuvieron, dirigieron la vista hacia donde ella miraba, y luego continuaron su camino. La reacción de aquellas gentes le encantó. Si en su pueblo la hubieran visto mirando hacia arriba y riéndose sola, al día siguiente la noticia habría corrido de boca en boca.

Dejó la maleta en la consigna y se dirigió al lavabo de señoras del piso principal. Allí se lavó, se alisó con las manos su informe falda de punto color marrón, y se abrochó cuidadosamente la gruesa chaqueta de lana. Finalmente se peinó sus cabellos grises apelmazándolos con agua en torno a su rostro redondo casi carente de barbilla.

Durante las seis horas siguientes, Lally recorrió la terminal deleitándose como una niña ante aquel gentío que se afanaba presuroso. Comió en la barra de un bar pequeño y barato en que servían almuerzos, se detuvo a ver los escaparates de las galerías que conducían a los hoteles, y, finalmente, volvió a instalarse en la sala de espera principal.

Fascinada, contempló cómo una madre daba el pecho a su hijo, vio besarse apasionadamente a una pareja de jóvenes, y siguió las incidencias de una partida de cartas que jugaban cuatro hombres.

El gentío disminuía, aumentaba y volvía a disminuir bajo los signos del zodíaco. Era casi media noche cuando reparó en un grupo que ya conocía de vista. Seis hombres y una mujer diminuta, semejante a un pájaro, hablaban apiñados con la cómoda camaradería que proporciona una vieja amistad.

La mujer la vio observarles y se acercó a ella.

—¿Eres nueva aquí?

Tenía una voz áspera, pero amable. Lally la había visto horas antes sacando un periódico de una de las papeleras de la estación.

—Sí —dijo.

—¿No tienes adónde ir?

Lally había hecho una reserva en el hotel de la Asociación de Mujeres Católicas, pero su instinto la impulsó a mentir.

—No.

—¿Acabas de llegar?

—Sí.

—¿No tienes dinero?

—No mucho.

Otra mentira.

—Bueno, no te preocupes, mujer. Te enseñaremos todo esto. Nosotros somos de la casa —dijo señalando al grupo que había dejado detrás.

—¿Quieres decir que vivís por aquí cerca? —preguntó Lally.

Una sonrisa asomó a los labios de la mujer descubriendo una hilera de dientes amarillos.

—No. Vivimos *aquí*. Me llamo Rosie Bidwell.

Durante los sesenta y dos sombríos años de su vida, Lally no había tenido una sola amiga íntima. Rosie Bidwell fue la primera. Pronto la aceptaron todos como una compañera más. Se deshizo de la maleta y, como Rosie, guardó todas sus posesiones en una bolsa de papel. Aprendió la rutina. Comidas lentas y baratas en restaurantes automáticos, una ducha de vez en cuando en la casa de baños del Village, y habitaciones de mala muerte en hoteles de a dólar por noche o algún centro del Ejército de Salvación.

O bien... su propia habitación en Grand Central.

Aquel era el único secreto que ocultaba a Rosie. Exploradora incansable, se conocía al dedillo hasta la última pulgada de la terminal. Subía las escaleras que ocultaban las puertas color naranja de los andenes y vagaba por la zona cavernosa que se abría entre el suelo del piso superior y el techo del inferior. Halló la escalera oculta que conectaba los lavabos de señoras de las dos plantas y cuando el de abajo estaba cerrado por reparaciones descendía su escalera secreta y pasaba la noche allí, lejos de la mirada de todos.

Hasta llegó a caminar a lo largo de las vías del túnel que corría bajo Park Avenue, apretándose contra la pared de cemento cuando pasaba un tren atronador y compartiendo restos de comida con los gatos hambrientos que merodeaban por aquellas latitudes.

Le fascinaba especialmente la zona más profunda de la estación, lo que los guardas llamaban Sing-Sing. Entre las bombas, los ventiladores, los respiraderos y los generadores que retumbaban, zumbaban y chirriaban, se sentía parte integrante del verdadero corazón de Grand Central. Una puerta anónima situada en lo alto de una estrecha escalera, la intrigaba. Cautelosamente, se la había mencionado a uno de los guardias de seguridad con quien había trabado amistad. Rusty le contó que en aquel miserable agujero lavaban antes los platos para las cocinas de «La Ostrería» y que ella no tenía nada que hacer por allí. Pero Lally insistió tanto, que al fin la llevó a ver el interior.

Aquel cuarto la dejó maravillada. Los desconchones de las paredes y del techo no le molestaron lo más mínimo. Era de amplias dimensiones. Las luces y las pilas funcionaban. Hasta tenía un pequeño cubículo con un retrete. Inmediatamente se dio cuenta de que aquel lugar podía satisfacer la única necesidad que aún sentía: la de disfrutar de vez en cuando de absoluta soledad.

—Habitación con baño —dijo—. ¡Rusty, déjame dormir aquí!

Rusty la miró sorprendido.

—Ni hablar. Me costaría mi puesto.

Pero a base de insistencia consiguió convencerle y de vez en cuando la dejaba pasar una noche allí. Hasta que un día logró que le prestara la llave unos minutos y en secreto se mandó hacer otra. Cuando Rusty se jubiló, aquella habitación fue suya y sólo suya.

Poco a poco fue subiendo a ella algunos cachivaches: un catre de lona desvencijado de los que usaban en el Ejército, un colchón lleno de bultos, un cajón de naranjas...

Con el tiempo, aquella habitación se convirtió en su refugio habitual. Lo que más le gustaba del mundo era dormir en aquella oscuridad de vientre materno arropada en las profundidades mismas de su estación, oyendo el rugir lejano y el traqueteo de los trenes que se iban haciendo más y más infrecuentes conforme avanzaba la noche y más frecuentes de nuevo con la renovada actividad de la mañana.

A veces, mientras yacía en aquella habitación, recordaba cómo había explicado a sus alumnos *El fantasma de la ópera*: «Y bajo aquel teatro dorado, tan hermoso, había otro mundo, un mundo oscuro y misterioso, un mundo de callejones, cloacas y humedad en que un hombre podía ocultarse seguro de que nadie podría encontrarle.»

La única nube que ensombrecía su horizonte era el temor (horrible, punzante) de que algún día pudieran derribar su estación, y cuando el Comité para la Salvación de Grand Central celebró un mitin en la terminal, ella estuvo presente. Oculta en un rincón, aplaudió entusiasta cuando algunas personalidades como Jackie Onassis afirmaron que Grand Central era parte integrante de la tradición de Nueva York y, por lo tanto, no podía ser destruida.

Pero aunque lograron que se concediera a la terminal categoría de monumento histórico, Lally sabía que eran muchos los que estaban interesados en su demolición. ¡Por favor, Dios mío! ¡Mi estación, no!

Durante el invierno no acudía a su habitación porque era demasiado húmeda y fría. Pero entre mayo y setiembre solía utilizarla, aunque no con mucha frecuencia. Iba a dormir allí sólo dos veces por semana para que los policías no la sorprendieran y Rosie no sospechara.

Pasaron seis años, los mejores en la vida de Lally. Llegó a conocer a todos los vigilantes, vendedores de periódicos y camareros de la estación. Reconocía las caras de los viajeros y sabía qué trenes cogía cada cual y a qué hora. Hasta llegó a familiarizarse con los rostros de los borrachos que generalmente tomaban los últimos trenes para volver a casa, recorriendo inseguros los pasillos en dirección a los andenes.

Ese lunes por la noche, Lally estaba citada con Rosie en la sala de espera principal. Había padecido de artritis durante el invierno y esa enfermedad había sido lo único capaz de contrarrestar su deseo de subir a su habitación. Pero habían pasado ya seis meses desde que pusiera los pies en ella por última vez y, de pronto, no pudo resistir la añoranza por más tiempo. «Bajaré solamente a ver cómo está», se dijo. Quizá, si no hacía mucho frío, podría dormir en ella esa noche. Pero probablemente sería imposible.

Bajó pesadamente las escaleras que conducían al nivel inferior. No había mucha gente allí. Miró cuidadosamente a su alrededor para ver si descubría a algún policía. No podía arriesgarse a que la sorprendieran dirigiéndose a su habitación. Ni el más amable de los vigilantes le habría permitido utilizarla.

Reparó en una familia con tres niños pequeños. Muy guapos todos ellos. Le gustaban los chiquillos y había sido muy buena maestra. Una vez qe los alumnos se cansaban de reírse de su aspecto, solía llevarse muy bien con ellos. No es que echara de menos aquellos tiempos y deseara que volvieran... No, eso no. Nunca.

Iba a bajar por la rampa hacia el andén ciento doce, cuando atrajo su atención un trozo de forro andrajoso color escarlata que colgaba del bajo de un viejo abrigo gris.

Reconoció el abrigo. Se lo había probado la semana anterior en una ropavejería de la Segunda Avenida. No podía haber dos como aquél, con ese mismo forro. Imposible. Su curiosidad se agudizó. Estudió el rostro de la muchacha que vestía el abrigo y se sorprendió al descubrir su juventud y belleza bajo el pañuelo sucio y las gafas oscuras.

El hombre que la acompañaba... Sí, Lally le había visto por la estación con cierta frecuencia últimamente. Reparó en la fina piel de las botas que llevaba la muchacha. Se notaba que eran caras. Correspondía al tipo de viajeros de la línea de Connecticut.

«Extraña combinación —se dijo—. Un abrigo de segunda mano y esas botas.» Vio sin demasiado interés cómo la pareja atravesaba la terminal. La bolsa que llevaba el hombre parecía pesar mucho. Frunció el ceño al verlos bajar al andén número ciento doce. No iba a partir un tren de esa plataforma hasta dentro de cua-

68

renta minutos. «Están locos —pensó—. ¿Para qué querrán esperar abajo con el frío y la humedad que reinan allí?»

Se encogió de hombros. Su plan se había frustrado. Con esa pareja en el andén ya no quería arriesgarse a subir a su habitación. Podrían verla. Prefería esperar al día siguiente.

Venciendo estoicamente su desilusión, Lally se dirigió a la sala de espera de la sala principal donde la esperaba Rosie.

14

—¡Vamos, Ronald! ¡Habla, maldita sea!

El abogado, un hombre joven de cabellos casi negros, apretó el mando correspondiente a la grabación en el magnetófono colocado sobre la pequeña tarima que le separaba del muchacho.

—No.

Ronald Thompson se levantó, paseó inquieto por la reducida celda, y miró al exterior a través de la ventana enrejada. De pronto se volvió.

—Hasta la nieve parece sucia aquí —dijo—. Sucia, gris y fría. ¿Quieres grabar eso?

—No. No quiero. —Bob Kurner se levantó y puso las manos sobre los hombros del muchacho—. Ron, por favor.

—¿Para qué? ¿Para qué?

Los labios de aquel muchacho de diecinueve años temblaron. Su rostro cambió adquiriendo de pronto una expresión joven e indefensa. Se mordió el labio inferior y se pasó la mano por los ojos.

—Bob, sé que has hecho todo lo que has podido. Lo sé. Pero ya nadie puede conseguir nada.

—Podemos dar a la gobernadora motivos para que utilice su privilegio de conceder clemencia... Aunque sólo sea una suspensión de la sentencia, sólo una suspensión, Ronald.

—Pero ya lo has intentado. Y esa escritora Sharon Martin también. Y si ella no ha podido conseguirlo con todas las firmas que ha reunido...

—¡Que se vaya al diablo esa imbécil de Sharon Martin! —dijo Bob Kurner mientras apretaba los puños—. ¡Malditos sean todos esos hipócritas que se creen que hacen tanto bien y no saben ni mover un dedo! Te ha fastidiado a modo, Ronald. Nosotros habíamos hecho una petición, una petición *en regla* firmada por la gente que te conoce, gente que sabe que eres incapaz de hacer daño a una mosca, y de pronto sale ella gritando a los cuatro vientos que naturalmente que eres culpable, pero que no por eso tienes que morir. Ella es quien ha hecho imposible a la gobernadora conmutar la sentencia. *Imposible*.

—Entonces, ¿para qué perder el tiempo? Si es inútil, si ya no queda ninguna esperanza, prefiero no volver a hablar del asunto.

—Tienes que hacerlo.

La voz de Bob Kurner se suavizó cuando miró al fondo de los ojos del preso. Revelaban una sinceridad y una honradez que inspiraban simpatía. Bob recordó cómo era él a los diecinueve años, hacía exactamente diez años. Estudiaba segundo de Derecho en Villanova. Ronald había querido ir a la Universidad... y en vez de eso iba a morir en la silla eléctrica. Los dos años que había pasado en la cárcel habían transformado su cuerpo haciéndole perder su aspecto musculoso. Hacía gimnasia diariamente en su celda, pues era lo bastante disciplinado para ello, pero había adelgazado nueve kilos y su rostro estaba blanco como la cera.

—Mira —dijo Bob—. Tiene que haber algo que se me haya escapado.

—No se te ha escapado nada.

—Ronald, yo te defendí, pero tú *no* mataste a Nina Peterson y, sin embargo, te declararon culpable. Si pudiéramos hallar una sola prueba que presentar a la gobernadora, una razón para que te concediera una suspensión de la sentencia... Tenemos sólo cuarenta y ocho horas.

—Acaba de decir que no va a conmutar la sentencia.

Bob Kurner se agachó y apagó el magnetofón.

—Ronald, no sé si debería decirte esto. Dios sabe que la posibilidad es muy remota. Pero, escúchame. Cuando te declararon culpable de la muerte de Nina Peterson, muchos pensaron que eras culpable también de esos otros dos asesinatos sin resolver. Tú lo sabes...

—Ya me hicieron suficientes preguntas sobre ellos...

—Fuiste compañero de colegio de la chica, la que se apellidaba Carfolli, y habías trabajado para la señora Weiss limpiando la nieve de la entrada de su casa. Era natural que te interrogaran. Suele ser lo normal en estos casos. Desde que te detuvieron no hubo más asesinatos... *hasta ahora*. Ronald, el mes pasado mataron a dos mujeres jóvenes en el condado de Fairfield. Si pudiéramos presentar algo, una sombra de duda, cualquier cosa que pudiera establecer una relación entre la muerte de Nina Peterson y las otras dos mujeres...

Abrazó al muchacho.

—Ronald, sé lo difícil que es todo esto para ti. Adivino lo que estás pasando. Pero tú me has dicho cuántas veces has repasado mentalmente, hora a hora, ese día. Quizás haya algún detalle, algo que entonces no te pareció importante... Si *hablaras*...

Ronald se liberó de su abrazo, se acercó al catre y se sentó. Apretó el botón de la grabadora y volvió la cabeza de forma que su voz llegara claramente hasta el micrófono. Frunciendo el ceño a causa de su intensa concentración, comenzó a hablar con voz insegura.

—Aquella tarde, después de salir del colegio, me fui a trabajar a la tienda de comestibles del señor Timberly. La señora Peterson estaba haciendo su compra. Le dije al dueño que necesitaba más tiempo para mi entrenamiento de baloncesto y éste me amenazó con despedirme. Ella le oyó. Cuando la ayudé a sacar las bolsas al coche, me dijo...

15

El tren llegó a la estación de Carley a las nueve en punto. Para entonces la nerviosa impaciencia de Steve se había convertido en una preocupación sorda que le consumía. Debería haber llamado al médico. Si Neil se hubiera puesto enfermo, Sharon le habría llevado a la consulta para que le pusieran una inyección. Probablemente ésa era la razón por la que no había contestado al teléfono.

Sharon había venido. De eso estaba seguro. Si hubiera cambiado de idea, le habría avisado.

Quizás iban mal las líneas del teléfono. Y si hubiera perdido el tren, Dios sabe a qué hora habría llegado el siguiente. El revisor había dicho algo de que las vías se estaban helando.

Algo pasaba. Lo intuía. Lo sabía.

Quizá fuera la inminencia de la ejecución lo que le tenía tan nervioso, tan tenso. «¡Dios mío!», pensó. Los periódicos de la noche le habían hecho revivir todo de nuevo. Allí estaba la foto de Nina, en la primera página. Bajo ella el titular: «Un muchacho pagará con su vida el brutal asesinato de una joven madre de Connecticut.»

Junto a la de Nina, la fotografía de Thompson. Un chico de rostro agradable. Costaba trabajo creer que fuera capaz de asesinar a sangre fría. Steve contempló a su pesar la fotografía de su esposa. Los periodistas le habían pedido una cuando ocurrió el asesinato y desde entonces él había maldecido el momento en que les permitió hacer copias de aquélla en particular. Era su preferida. Una instantánea hecha por él mismo, aquella en que el viento revolvía los oscuros rizos en torno al rostro de Nina y su nariz recta parecía un poco respingona como sucedía siempre que reía.

¡Y aquel pañuelo atado al cuello! Hasta después de ver la foto publicada no había caído en la cuenta de que era el mismo que Thompson había utilizado para estrangularla. «¡Dios mío!»

Steve fue el primero que descendió del tren cuando éste llegó finalmente a la estación de Carley con cuarenta minutos de retraso. Bajó a todo correr las resbaladizas escaleras del andén, cruzó apresuradamente el aparcamiento y trató de limpiar la nieve que cubría el parabrisas de su automóvil. La fina capa de hielo endurecido resistió a sus esfuerzos. Impaciente, abrió el portaequipajes y sacó un disolvente y el limpiador de goma para los cristales.

La última vez que vio a Nina, ésta le había llevado a la estación. Él había notado que el neumático de la rueda delantera estaba en muy malas condiciones. Nina le confesó que la noche anterior había tenido un pinchazo y que llevaba el de repuesto.

Él había perdido todo control y se había enfurecido. «No deberías andar por ahí con ese neumático. ¡Maldita sea! Acabarás matándote por un descuido!», le había dicho.

Acabarás matándote.

Ella le había prometido recoger la otra rueda inmediatamente. Ya en la estación él se bajaba del coche sin el acostumbrado beso de despedida, cuando Nina se inclinó sobre su rostro y sus labios le rozaron la mejilla. Luego, preñada la voz con ese eco de risas que él tan bien conocía, le había dicho: «Que pases un buen día, gruñón. Te quiero.»

Y él ni se había vuelto a mirarla. Simplemente había echado a correr hacia el tren. En la oficina había estado a punto de llamarla, pero se dijo que era mejor que pensara que estaba realmente enfadado con ella. Nina le preocupaba. Era muy descuidada en cosas realmente importantes. Un par de noches en que había trabajado hasta muy tarde, se había encontrado al volver a casa a Neil y a Nina durmiendo con la puerta abierta.

Por eso ni la había llamado ni había hecho las paces con ella. Y cuando aquella misma tarde bajó del tren en la estación, Roger Perry le estaba esperando para llevarle a casa en su coche y decirle que Nina había muerto.

Desde entonces, dos años de un dolor despiadado que se había prolongado hasta aquella mañana, hacía ya seis meses, en que le habían presentado a la muchacha que iba a aparecer con él en el programa «Hoy», Sharon Martin.

El parabrisas estaba ya bastante limpio. Steve entró en el coche, movió la llave de contacto y apenas oyó el ruido del motor, apretó el acelerador. Quería llegar a casa y encontrar bien a Neil. Quería hacerle feliz otra vez. Quería rodear a Sharon con sus brazos y apretarla contra su cuerpo. Quería oírla trastear en la habitación de los invitados, saber que estaba cerca de él. Hablarían, resolverían sus diferencias. No permitiría que nada les separase.

El recorrido que generalmente cubría en cinco minutos, le llevó aquella noche un cuarto de hora. La calzada estaba cubierta de una fina película de hielo. En una señal de *stop* apretó el pedal del freno y el coche se deslizó hasta detenerse en el centro exacto del cruce. Por suerte no venía nadie.

Al fin llegó a la calle Driftwood. Le pareció extrañamente oscura. Era su casa. Las luces del porche estaban apagadas. Su cuerpo se tensó con un escalofrío de temor. Sin pensar en lo que hacía, apretó el acelerador y el automóvil salió disparado hacia delante dando bandazos hasta ir a parar a la acera contraria. Dobló al llegar a la pequeña avenida que conducía a la entrada de la casa y aparcó detrás del coche de Sharon. Subió corriendo los escalones del porche, introdujo el llavín en la cerradura y abrió la puerta de un violento empujón.

—¡Sharon! ¡Neil! —gritó—. ¡Sharon! ¡Neil!

Le respondió un silencio helador que contrastaba con el calor del vestíbulo. Sintió las manos pegajosas.

—¡Sharon! ¡Neil! —gritó de nuevo.

Entró en el salón. En el suelo había desparramados unos cuantos periódicos. Neil había estado recortando. Sobre una de las hojas vio unas tijeras y unos trozos de papel. En una mesita baja, cerca del fuego, había una taza de chocolate y una copa de jerez. Steve se acercó y tocó la taza. El chocolate estaba frío. Corrió a la cocina, vio un cacillo en la pila y volvió al vestíbulo. De allí pasó al cuarto de estar. La sensación de peligro se hizo acuciante, sobrecogedora. El cuarto de estar estaba desierto también. El fuego expiraba en la chimenea. Le había pedido a Bill que lo encendiera antes de marcharse.

Sin saber siquiera lo que buscaba, Steve volvió corriendo al vestíbulo, donde reparó en el maletín y el bolso de Sharon. Subió al cuarto de los invitados y abrió el armario. Allí estaba la capa de la muchacha. ¿Qué podía haberla impulsado a salir con tanta precipitación que no había tenido tiempo de cogerla? Neil. Neil había tenido uno de sus ataques. Uno de los más violentos, de esos que sobrevenían de improviso, que casi le asfixiaban.

Corrió al teléfono de la cocina. Allí estaban claramente escritos los teléfonos de emergencia: los del hospital, la Policía, los bomberos, el médico... Llamó primero a la consulta. La enfermera no se había ido todavía.

—No, señor Peterson. No hemos recibido ningún aviso. ¿Puedo hacer algo por...?

Colgó sin dar explicaciones.

Llamó después a la sala de emergencia del hospital.

—No, aquí no hay ninguna referencia a...

¿Dónde estarían? ¿Qué podía haberles ocurrido? Jadeaba. Miró el reloj de la pared. Las nueve y veinte. Habían pasado casi dos horas desde que llamara desde la estación. Llevaban al menos dos horas fuera de casa. ¡Los Perry! Quizá estuvieran en casa de los Perry. Era muy posible que si Neil había tenido los primeros síntomas de un ataque, Sharon hubiera recurrido a ellos en busca de ayuda.

Volvió a descolgar el auricular. «¡Por favor, Señor!

¡Que estén en casa de los Perry! ¡Que estén bien!»

Y en ese preciso momento, lo vio. El mensaje garrapateado en el tablón de anuncios. Estaba escrito con tiza, en trazos gruesos, irregulares...

«Si quiere volver a ver vivos a su novia y a su hijo, espere instrucciones.» Las tres palabras siguientes estaban subrayadas con una gruesa línea. «*No llame a la Policía.*» El mensaje iba firmado: «*Zorro.*»

16

En la oficina de Manhattan del FBI, Hugh Taylor exhaló un suspiro de alivio mientras cerraba el primer cajón de su escritorio. «¡Dios mío! ¡Qué placer volver a casa!», pensó. Eran cerca de las nueve y media, lo que significaba que el tráfico habría amainado. Pero la nieve habría cubierto la carretera del West Side y a esta hora el puente debía estar ya casi intransitable.

Se levantó y se estiró. Tenía los hombros y el cuello tensos y rígidos. «Aún no he cumplido los cincuenta y me siento como si tuviera ochenta», se dijo. Había sido un día difícil. Otro intento de atraco, esta vez en la sucursal del «Chase Manhattan» en la esquina de la Calle 48 y Madison. Uno de los cajeros había hecho sonar la señal de alarma y la Policía había detenido a los sospechosos, no sin que éstos lograran antes disparar sobre uno de los vigilantes. El pobre hombre estaba muy grave y probablemente no sobreviviría.

El rostro de Hugh revistió una repentina expresión de dureza. Los delincuentes capaces de cometer un crimen así debían ir a la cárcel para el resto de sus días.

Pero ejecutarlos, eso no. Hugh cogió su abrigo. Ese era uno de los motivos por los que había estado hoy tan deprimido. Ese pobre muchacho, Ronald Thompson. No podía dejar de pensar en él. El caso Peterson, hacía ahora dos años. Hugh había estado a cargo de la investigación. A la cabeza de su equipo siguió los pasos de Thompson hasta un motel de Virginia donde le detuvieron.

El muchacho negó en todo momento ser el autor del asesinato de Nina Peterson. Había defendido su inocencia aun cuando su única oportunidad de salvar el pellejo consistía en confesar su crimen y ponerse a merced del jurado.

Hugh se encogió de hombros. Ya no tenía nada que ver con todo aquello. Eso seguro. Y pasado mañana Ronald moriría en la silla eléctrica.

Hugh recorrió el largo pasillo y pulsó el botón de llamada del ascensor.

Estaba cansado hasta la médula. Realmente agotado.

Medio minuto después uno de los ascensores se detenía en la planta. La puerta se abrió. Hugh entró en él y apretó el botón marcado con una B.

De pronto alguien gritó su nombre. Automáticamente, echó mano a la puerta para impedir que se cerrara. Unos pies corrían hacia el ascensor. Harry Lamont, uno de los oficiales más jóvenes, le cogió por el brazo.

—Hugh. —Estaba sin aliento—. Steve Peterson está al aparato. Ya sabes, el marido de Nina Peterson... Ronald Thompson...

—Sé quién es —dijo Hugh precipitadamente—. ¿Qué quiere?

—Su hijo. Dice que su hijo y esa escritora, Sharon Martin, han sido secuestrados.

17

—¿Quién ha hecho estas fotografías?

Sharon reconoció el eco del miedo en su propia voz y supo que había cometido un error. Su mirada se cruzó con la del desconocido. Vio que su tono le había sorprendido. El hombre apretó los labios y el latido de su sien se aceleró. Su intuición la impulsó a añadir:

—Es que son tan realistas...

La rigidez del hombre disminuyó.

—Quizá las haya encontrado —dijo.

Sharon recordó el flash que la había cegado en el coche.

—O quizá las hiciste tú.

Hizo lo posible porque sus palabras sonaran a cumplido.

—Quizá.

El desconocido le acarició el cabello deteniendo la mano por un segundo en su mejilla. «Domina tu miedo», pensó ella frenéticamente. Seguía sosteniendo con un brazo la cabeza de Neil. El niño comenzó a temblar. Sus sollozos rompieron el resuello característico del asma.

—Neil, no llores —imploró—. Te ahogarás.

Miró a su raptor.

—Tiene mucho miedo —dijo—. Desátale.

—Si lo hago, ¿me querrás?

Mientras se agachaba junto al catre notó las piernas del hombre apretándose contra su costado.

—Claro que sí, pero hazlo, por favor.

Apartó unos rizos húmedos, color arena, que caían sobre la pequeña frente del niño.

—No le destapes los ojos.

La mano del desconocido se posó tensa sobre la suya y la apartó del rostro de Neil.

—Como tú quieras —dijo tratando de aplacarle.

—Bueno, le desataré un momento. Sólo las manos. Pero antes tiéndete en el catre.

Sharon se quedó rígida.

—¿Para qué?

—No quiero teneros desatados a los dos al mismo tiempo. Suelta al niño.

No tuvo más remedio que obedecer. Esta vez el hombre le ató las piernas desde las rodillas hasta los tobillos. Luego la sentó en el catre.

—No te ataré las manos hasta que esté a punto de irme, Sharon —dijo.

Era una concesión. Su voz se recreaba al pronunciar el nombre femenino.

«Hasta que esté a punto de irme.» ¿Es que iba a dejarles allí solos? El hombre se inclinaba sobre Neil para cortar las ligaduras que sujetaban sus muñecas. Las manos del niño temblaron por un momento en el aire. Su jadeo tenía ahora un ritmo de *staccato*. El silbido era constante, de un tono cada vez más alto.

Sharon le sentó sobre sus rodillas. Llevaba aún puesto el abrigo gris y le envolvió con él manteniéndole pegado contra su cuerpo. El tembloroso cuerpo infantil se resistía tratando de apartarse.

—¡Neil, basta! ¡Cálmate! —dijo con voz firme—. Recuerda lo que tu padre te ha dicho que tienes que hacer cuando te da un ataque de asma. Tienes que estarte muy quieto y respirar muy despacio. —Miró al hombre—. Por favor, ¿puedes darle un vaso de agua?

A la luz difusa e irregular de la habitación, la sombra del desconocido, oscura y emborronada sobre la pared de cemento, parecía fragmentada por los desconchones. Él asintió y se acercó a las pilas oxidadas. El grifo que antes goteara, estalló ahora en un gorgoteo irregular. Aprovechando que el hombre estaba de espaldas, Sharon miró las fotografías. Dos de las mujeres estaban muertas o a punto de morir. La otra trataba de huir de algo o de alguien. ¿Era su secuestrador el autor de los crímenes? ¿Qué clase de loco era este hombre? ¿Por qué les había secuestrado a ella y a Neil? Hacía falta mucha valentía para cruzar la estación con ellos. Lo había planeado todo cuidadosamente. ¿Por qué?

Neil aspiraba demasiado de prisa. Se ahogaba. Comenzó a toser con voz áspera, ronca.

Su raptor volvía de la pila con un vaso de cartón en la mano. La tos del niño parecía enervarle. Cuando alargó a Sharon el vaso, le temblaba la mano.

—Haz que deje de toser —le dijo.

Sharon acercó el vaso a los labios de Neil.

—Bebe un poco.

El niño comenzó a apurar el líquido apresuradamente.

—No. Despacio, Neil. Ahora échate. —El niño acabó de beber y suspiró. Sharon sintió un ligero relajamiento en el cuerpo infantil—. Así.

El desconocido se inclinó sobre ella.

—Eres buena, Sharon —dijo—. Por eso me he enamorado de ti. No me tienes miedo, ¿verdad que no?

—Claro que no. Sé que no vas a hacernos nada malo.

Le hablaba en tono tranquilo, un tono de conversación banal.

—¿Por qué nos has traído aquí?

Sin responder, el hombre se acercó a la maleta negra, la levantó con extremo cuidado, y volvió a colocarla en el suelo a pocos pasos de la puerta. Luego, en cuclillas, abrió la bolsa de lona.

—¿Qué tienes ahí? —preguntó Sharon.

—Una cosa que tengo que preparar antes de irme.

—¿Adónde vas?

—No me hagas tantas preguntas, Sharon.

—Sólo me interesaba por tus planes.

Le vio revolver el contenido de la bolsa. Sus dedos tenían ahora vida propia. Una existencia en la cual manejaban hábilmente cables y pólvora.

—No puedo hablar cuando trabajo en esto. Con la nitroglicerina hay que tener mucho cuidado. Hasta yo lo tengo.

Los brazos de Sharon se tensaron en torno a Neil. Aquel loco estaba manejando explosivos a pocos pasos de ellos. Si cometía un solo error, si se equivocaba en el más mínimo detalle... Recordó la explosión de aquel edificio de Greenwich Village. Ella se hallaba en Nueva York aquel día. No tenía clase y estaba haciendo unas compras no muy lejos del lugar del suceso. De pronto oyó un sonido ensordecedor. Recordó el montón de cascotes, la pila de fragmentos de piedras, los trozos de tablones... Los autores del hecho también creían que sabían manejar explosivos.

Rezando a Dios interiormente, siguió mirando al hombre que trabajaba con extremo cuidado. Le contempló mientras la sangre se resistía a circular por sus piernas, mientras la humedad penetraba en su piel, mientras su oído se hacía al débil retumbar de los trenes. El jadeo de Neil fue adquiriendo otro ritmo. Seguía siendo rápido, angustioso, pero no tan desenfrenado como antes.

Finalmente el hombre se enderezó.

—Ya está.

Parecía satisfecho.

—¿Qué vas a hacer con eso?

—Será vuestra niñera.

—¿Qué quieres decir?

—Tengo que dejaros hasta mañana por la mañana. Y no puedo correr el riesgo de que os vayáis, ¿no crees?

—¿Cómo vamos a irnos si estamos atados y solos?

—Hay la posibilidad entre un millón, entre diez millones de que, mientras estoy fuera, alguien trate de entrar en esta habitación.

—¿Cuánto tiempo vas a tenernos aquí?

—Hasta el miércoles. Y no me hagas más preguntas. Te diré lo que crea que debes saber.

—Perdóname, pero es que no entiendo...

—No puedo permitir que os encuentren. Pero tengo que irme. Por eso dejo explosivos conectados con la puerta. Así si alguien trata de abrir...

No estaba en esa habitación. No estaba oyendo lo que oía. Era imposible.

—No te preocupes, Sharon. Mañana por la noche Steve Peterson me dará ochenta y dos mil dólares y todo habrá terminado.

—¿Ochenta y dos mil dólares?

—Sí. Y el miércoles por la mañana tú y yo nos iremos y le diré a Peterson dónde puede encontrar al niño.

Desde muy lejos llegó hasta ellos el eco débil de un traqueteo. Un silencio. Otro eco.

El hombre cruzó la habitación.

—Lo siento, Sharon.

Con un movimiento rápido, arrancó a Neil de sus

brazos y le tendió sobre el catre. Antes de que Sharon pudiera reaccionar, el hombre le había unido las manos a la espalda. Dejó que el abrigo se deslizara sobre su espalda y sólo entonces le ató fuertemente las muñecas.

Luego se acercó a Neil.

—No le amordaces, por favor —suplicó ella—. Si se ahoga puede que no te den el dinero, quizá tengas que demostrar que está vivo. Por favor... Me gustas porque eres inteligente.

La miró pensativo.

—Sabes cómo me llamo —continuó—, pero aún no me has dicho cómo te llamas tú. Quiero poder pensar en ti, llamarte por tu nombre.

Las manos del desconocido volvieron el rostro de Sharon hacia él. Eran callosas, ásperas. Costaba trabajo creer que podían ser tan diestras con aquellos delicados cables.

Se inclinó sobre ella. Su aliento era caliente, olía a rancio. Aguantó un beso áspero, húmedo. Una boca que se deslizaba lenta sobre su mejilla, su oreja...

—Me llamo *Zorro* —dijo el hombre con voz ronca—. Repite mi nombre, Sharon.

—*Zorro*.

Ató las muñecas de Neil y colocó al niño junto a Sharon. Apenas había espacio en el catre para aquellos dos cuerpos tendidos el uno junto al otro. Las manos de la muchacha estaban aplastadas contra el áspero muro de cemento. El hombre les cubrió a los dos con el sucio abrigo gris y permaneció de pie junto a ellos. Dirigió la mirada al montaplatos enterrado bajo los tablones.

—No. —Parecía insatisfecho, inseguro—. No puedo correr el riesgo de que os oigan.

Volvió a taparles la boca con sendas mordazas, aunque esta vez no tan apretadas. Ella no se atrevió a protestar. Era evidente que el nerviosismo había vuelto a apoderarse de él.

Pronto supo por qué. Lentamente, con extremo cuidado, el hombre enganchó un fino cable a algo que con-

tenía la maleta y lo desenrolló poco a poco. Iba a unir-
lo a la puerta. Si alguien trataba de entrar durante su
ausencia, la bomba estallaría.

Sharon oyó el tenue sonido del interruptor y la luz
se extinguió. La puerta se abrió y se cerró sin ruido.
Por un instante la silueta del hombre se dibujó en el
vano de la puerta para desaparecer un segundo después.

El cuarto quedó en tinieblas. Sólo rompían el ca-
vernoso silencio·el jadeo fatigoso de Neil y el eco sordo de los trenes que de vez en cuando entraban en el
túnel.

18

Roger y Glenda decidieron ver las noticias de las
once en la cama. Ella se había bañado ya y ofreció a
su marido prepararle un ponche caliente mientras se
duchaba.

—Me apetece, pero no quiero que trabajes.

Roger comprobó que la puerta de la cocina estaba
bien cerrada y subió al piso superior. La ducha fue caliente, vigorizadora, infinitamente agradable. Se puso
un pijama de rayas azules, abrió la cama doblando cuidadosamente la pesada colcha que cubría la cama, y
encendió los apliques colocados poco más arriba de las
almohadas.

Antes de acostarse, se acercó a la ventana que daba
a la calle. Aun en noches como aquélla a los dos les
gustaba que el aire fresco inundara la habitación. Su
mirada se dirigió automáticamente hacia la casa de los
Peterson. Ahora estaba iluminada, por dentro y por
fuera.

A través de los copos de nieve, vio varios coches aparcados en la avenida ante la puerta.

Glenda entró en la habitación con una taza humeante en las manos.

—Roger, ¿qué miras?

Él se volvió con cierta timidez.

—Nada. Ya no tienes que preocuparte porque las luces de la casa de Steve estén apagadas. Ahora parece un árbol de Navidad.

—Debe tener invitados. Bueno, demos gracias a Dios porque no tenemos que salir esta noche.

Dejó la taza sobre la mesilla de noche de su esposo, se quitó la bata, y se metió en la cama.

—Estoy cansada.

De pronto su expresión cambió. Pareció súbitamente preocupada. Quedó inmóvil.

—¿Un dolor?

—Sí.

—No te muevas. Te daré una pastilla.

Esforzándose por dominar el temblor de sus manos, estiró el brazo para coger el frasco, siempre presente, de tabletas de nitroglicerina. Miró a su esposa mientras ésta se introducía una de ellas bajo la lengua y cerraba los ojos. Un momento después, Glenda suspiraba.

—Éste ha sido fuerte, pero ya ha pasado —dijo.

Sonó el teléfono. Roger se dispuso a contestar.

—Si es para ti, diré que estás dormida —murmuró—. Hay gente que...

Descolgó el auricular.

—¿Diga? —respondió con brusquedad.

Inmediatamente cambió de actitud. Su voz adquirió un tono de consternación.

—Steve, ¿pasa algo? No. No. Nada. ¡Claro! ¡Dios mío! Voy para allá.

Glenda le miraba. Colgó el auricular y tomó entre las suyas las manos de su esposa.

—Pasa algo en casa de Steve —dijo cautelosamente—. Neil y Sharon han desaparecido. Voy para allá, pero volveré en cuanto pueda.

—Roger...

—Por favor, Glenda. Hazlo por mí, no te inquietes.

Ya sabes que no te has sentido muy bien últimamente. Por favor.

Se puso sobre el pijama unos pantalones y un jersey grueso e introdujo los pies en un par de mocasines.

Cuando cerraba la puerta principal oyó sonar de nuevo el timbre del teléfono. Glenda lo cogería. Echó a correr bajo la intensa nevada. Cruzó en diagonal, primero el jardín y luego la calle, en dirección a la casa de Peterson.

Apenas notaba el frío que helaba sus tobillos desnudos, que le obligaba a respirar de forma rápida y entrecortada.

Subió los escalones del porche jadeando. El corazón le latía apresuradamente. Un hombre delgado, de rasgos acusados y cabello canoso, le abrió la puerta.

—Señor Perry, soy Hugh Taylor del FBI. Nos conocimos hace dos años...

Roger recordó el día en que Ronald Thompson, en su huida, había tirado a Glenda contra el suelo, el día en que ésta había hallado el cadáver de Nina.

—Recuerdo.

Entró en el salón meneando la cabeza. Steve se hallaba en pie junto a la chimenea con las manos juntas, crispadas. Dora Lufts estaba sentada en el sofá con los ojos enrojecidos, sollozando. Bill Lufts se inclinaba sobre ella con gesto de impotencia.

Roger se acercó directamente a Steve y le puso las manos sobre los hombros.

—Steve, ¡Dios mío! ¡No sé qué decirte!

—Roger, gracias por venir tan pronto.

—¿Cuánto tiempo hace que has desaparecido?

—No estamos seguros. Debió ocurrir entre las seis y las siete y media.

—¿Estaban solos aquí Sharon y Neil?

—Sí. Estaban...

La voz de Steve se quebró. Se recobró rápidamente y añadió:

—Estaban solos.

—Señor Perry —interrumpió Hugh Taylor—. ¿Sabe usted algo que pueda interesarnos? ¿Ha visto a algún desconocido por el barrio? ¿Algún coche, algún camión, algo que le haya llamado la atención?

Roger se dejó caer pesadamente en un sillón. «Piensa», se dijo.

Sí, había algo. ¿Qué era?

—Las luces del porche.

Steve se volvió hacia él tenso.

—Bill está seguro de que las dejó encendidas cuando salió con Dora. Las encontró apagadas al volver a casa. ¿Qué notaste?

Roger, con su temperamento analítico, pasó revista en voz alta con extraordinaria precisión a sus actividades de aquella noche. Había salido de la oficina a las cinco y diez, y a las seis menos veinte entraba en su garaje.

—Las luces del porche debían estar encendidas a las seis menos veinte, cuando entré en casa —dijo a Steve—. De otro modo lo habría notado. Glenda me preparó un cóctel. Quince minutos después de mi llegada, estábamos los dos mirando por la ventana. Glenda me hizo la observación de que las luces del porche de tu casa estaban apagadas.

Meditó frunciendo el ceño.

—¡Espera! El reloj había dado la hora muy poco antes, o sea que debían ser alrededor de las seis y cinco. —Hizo una pausa—. Glenda dijo algo de que salía un coche de la avenida de tu casa.

—¿Un coche? ¿Qué tipo de coche? —saltó Hugh Taylor.

—No lo sé. Glenda no lo dijo. Yo estaba de espaldas a la ventana en ese momento.

—¿Está seguro de la hora?

Roger miró directamente al agente del FBI.

—Completamente.

Se dio cuenta de que no lograba entender totalmente lo que estaba oyendo. ¿Habría visto Glenda realmente alejarse un coche de la casa con Sharon y Neil en el interior? ¡Neil y Sharon secuestrados! ¿No debía haberles prevenido su instinto de que pasaba algo? Pero, claro, que les había prevenido. Recordó la sensación de alarma que había experimentado Glenda junto a la ventana, cómo le había pedido que se acercara a casa de su amigo. Y él la había prevenido contra los peligros de que se preocupara con exceso.

¡Glenda! ¿Qué podría decirle? Miró a Hugh Taylor.

—Mi mujer se va a disgustar mucho.

Hugh asintió.

—Entiendo. El señor Peterson cree que a ella podremos decirle la verdad, pero es absolutamente imprescindible que nadie más se entere de lo ocurrido. No queremos ahuyentar al secuestrador o secuestradores.

—Comprendo.

—Dos vidas dependen de que todos actuemos como si nada hubiera ocurrido.

—¡Dos vidas! —Dora Lufts se echó a llorar con sollozos secos y roncos—. ¡Mi pequeño Neil! Y esa muchacha tan guapa... No puedo creerlo. Después de lo ocurrido con la señora Peterson...

—Dora, cállate.

La voz de Bill Lufts era una súplica quejumbrosa. Roger vio cómo la cara de Steve se contraía en un rictus de dolor.

—Señor Perry, ¿conoce usted a la señorita Martin? —preguntó Hugh Taylor.

—Sí. La he visto varias veces aquí y en mi casa. ¿Puedo ir a buscar a mi mujer?

—Desde luego. Queremos hablar con ella acerca de ese coche que ha visto. Hay otro agente en la casa. Podemos mandarle a él a recogerla.

—No, prefiero ir yo. No se encuentra bien y quiere mucho a Neil.

«Hablamos por hablar —pensó Roger—. Nada de esto es cierto. No lo creo. ¡Steve! ¿Cómo va a poder soportarlo?» Miró a su amigo con lástima. Éste estaba tranquilo en apariencia, pero la expresión de sufrimiento que había quedado grabada en su rostro y que hasta hacía pocos meses no comenzara a desvanecerse, había aparecido hoy de nuevo. Esa palidez cerúlea, esas arrugas de la frente de pronto tan profundas, esos surcos a ambos lados de la boca...

—¿Por qué no tomas una taza de café, Steve? —sugirió—. Estás muy alterado.

—Sí, quizás un café...

Dora levantó la vista ansiosamente.

—Haré café y unos bocadillos. ¡Dios mío! Cuando pienso... ¡Neil! ¿Por qué tuvimos que ir al cine hoy? Si algo le ocurre a ese niño, nunca me lo perdonaré. Nunca.

Bill Lufts tapó la boca a su mujer.

—¡Por una vez en tu vida, cállate! —gritó—. ¡Cállate!

En su voz se adivinaban ferocidad y amargura. Roger se dio cuenta de que Hugh Taylor estudiaba atentamente a la pareja.

¡Los Lufts! ¿Sospecharía de ellos? No. Eso nunca. Imposible.

Estaba ya en el vestíbulo cuando sonó frenéticamente el timbre de la puerta. Todos se sobresaltaron. Un agente que se hallaba en la cocina cubrió la distancia que le separaba del vestíbulo en pocos segundos, pasó precipitadamente junto a Roger, y abrió de un tirón la puerta principal.

Glenda apareció en el vano. Tenía los cabellos y el rostro húmedos de nieve y los pies calzados solamente con unas zapatillas de satén. Una bata color rosa constituía su única protección contra el viento frío de la noche. Tenía la cara blanca como el mármol. Las pupilas dilatadas y asombradas. En la mano aferraba una hoja de papel arrancada de un cuaderno. Temblaba violentamente.

Roger corrió hacia ella. Llegó a su lado en el instante preciso en que se derrumbaba. La sostuvo entre sus brazos.

—Roger, la llamada... La llamada telefónica. —Sollozaba—. Me hizo escribirlo todo. Después me obligó a que se lo leyera. Me dijo que si no lo entendía bien, Neil...

Hug le arrancó el papel de la mano y leyó en alta voz:

—«Diga a Steve Peterson que si quiere volver a ver

a su novia y a su hijo, esté mañana a las ocho en punto en la cabina telefónica de la gasolinera "Exxon" situada en la salida número veintidós de la autopista Merritt. Recibirá instrucciones acerca del rescate.»

Hugh frunció el ceño. No podía leer la última palabra.

—¿Qué dice aquí, señora Perry? —preguntó.

—Me hizo que se lo repitiera todo. Apenas podía escribir... Y él estaba tan impaciente. Ahí dice «Zorro». Eso es. Lo repitió dos veces.

La voz de Glenda cambió de tono. Su rostro se contrajo en un gesto de dolor. Se apartó de Roger y se llevó una mano al pecho.

—Trataba de disfrazar la voz, pero cuando repitió ese nombre... Roger, *yo he oído esa voz*. Conozco a ese hombre.

19

Antes de salir de la prisión estatal de Sommers, Bob Kurner telefoneó a Kathy Moore para pedirle que volviera a su oficina donde él se reuniría con ella más tarde.

Kathy era ayudante del fiscal de Bridgeport y trabajaba en el Tribunal de menores. Se habían conocido cuando Bob era abogado de oficio en este mismo distrito. Llevaban saliendo tres meses y ella se había interesado enormemente por la lucha que mantenía el joven abogado por salvar a Ronald Thompson.

Cuando Kurner llegó, le esperaba en el vestíbulo con la mecanógrafa que él había solicitado.

—Marge dice que se quedará la noche entera si es necesario. ¿Cuánto es lo que tiene que copiar?

—Mucho —dijo Bob—. Le he hecho repetir toda la

historia cuatro veces. Hay grabadas unas buenas dos horas.

Marge Evans alargó una mano.

—Tú déjalo de mi cuenta.

Hablaba con el tono eficiente de una profesional. Ya arriba, colocó el magnetófono sobre su escritorio, instaló su masivo cuerpo en el sillón giratorio, insertó en el aparato la cassette marcada con el número uno, y buscó el comienzo de la grabación. La voz de Thompson empezó a sonar, lenta e insegura: «Aquella tarde, después de salir del colegio, me fui a trabajar a la tienda de comestibles del señor Timberly...»

Marge detuvo el magnetofón un momento.

—Bueno, vosotros podéis hacer otra cosa. Yo me ocupo de esto.

—Gracias. —Bob se volvió hacia Kathy—. ¿Has traído esos informes?

—Sí. Están ahí dentro.

Bob la siguió al interior del pequeño cubículo que servía de despacho a la muchacha. Sobre el escritorio había únicamente cuatro sobres de papel manila en los que se leían los siguientes nombres: Carfolli, Weiss, Ambrose y Callahan.

—Los informes de la Policía están encima de todo. Si se entera Lee Brooks, me la cargo. Me costará el cargo si llega a saberlo.

Lee Brooks era el fiscal del distrito. Bobs se sentó ante el escritorio y tomó el primer sobre. Antes de abrirlo miró directamente a Kathy. Llevaba ésta unos pantalones de tela tosca y un jersey deportivo muy grueso. Se había recogido el cabello, casi negro, en la nuca con ayuda de una goma. Parecía una estudiante de dieciocho años más que una abogado de veinticinco. Pero desde la primera vez que se enfrentó con ella ante un tribunal, Bob no había vuelto a cometer el error de menospreciar su valía. Era una buena abogado. Tenía una mente aguda y analítica y una pasión desmedida por la justicia.

—Sé lo que arriesgas, Kathy. Pero si pudiéramos hallar la más mínima relación entre estos asesinatos y

90

la muerte de Nina Peterson... La única esperanza que nos queda de salvar a Ron es encontrar una prueba válida.

Kathy acercó una silla al otro lado del escritorio y cogió dos de los sobres.

—Bueno, quién sabe. Si lo conseguimos, a lo mejor Lee me perdona que te haya dejado consultar nuestros archivos. Los periodistas le traen loco. Desde esta mañana los titulares llaman a estos dos últimos asesinatos, «Los crímenes de la banda civil».

—¿Y eso?

Tanto la muchacha apellidada Callahan como la señora Ambrose llevaban pequeñas emisoras de radio en sus automóviles y habían enviado mensajes pidiendo ayuda. La señora Ambrose se había perdido y estaba sin gasolina. Bárbara Callahan había tenido un pinchazo.

—Ya hace dos años la señora Weis y Jean Carfolli fueron asesinadas en carreteras poco frecuentadas.

—Pero eso no demuestra que haya una relación entre los cuatro crímenes. Cuando murieron Jean y la señora Weiss, los periódicos hablaron de «Los crímenes de la carretera». Los eslóganes que se inventan para dar más emoción a los titulares.

—¿*Tú* qué crees?

—No sé qué pensar. Desde que detuvieron a Ronald Thompson por el asesinato de Nina Peterson no mataron a ninguna otra mujer en el condado de Fairfield hasta el mes pasado. Ahora hay dos crímenes sin resolver. Pero ha habido otras muertes relacionadas con ese tipo de radios por todo el país. Esas emisoras de automóvil son un invento fantástico, pero una mujer tiene que estar loca para pregonar a los cuatro vientos que está completamente sola en una carretera perdida y con el coche inutilizado. Es invitar a todos los maníacos de los alrededores a que acudan corriendo al lugar donde ella se encuentra. ¡Dios mío! En Long Island se dio el caso de un muchacho de quince años que se dedicaba a escuchar la banda que utiliza la Policía y acudía a todos los lugares en que había una mujer en apuros. Al final le pillaron apuñalando a una que había pedido ayuda.

—Yo sigo pensando que hay una relación entre esos cuatro casos, y que el de Nina Peterson está relacionado también con ellos. Llámalo corazonada si quieres. O agarrarse a un clavo ardiendo. Puedes llamarlo como quieras, pero, por favor, ayúdame.

—Eso quiero. ¿Qué hacemos?

—Empezaremos haciendo una lista con el lugar, hora y causa de cada muerte. Arma utilizada, condiciones meteorológicas, tipo de coche, antecedentes familiares de la víctima, adónde se dirigía, dónde había estado esa misma noche, declaraciones de los testigos, etc. En los dos últimos casos calcularemos el tiempo transcurrido entre el momento en que emitieron el mensaje pidiendo ayuda y la hora en que fueron hallados los cadáveres. Cuando terminemos, compararemos la lista con las circunstancias de la muerte de la señora Peterson. Si no sacamos nada en limpio, volveremos a empezar con otra técnica.

Comenzaron a las ocho y diez. A media noche, Marge entró en el despacho con cuatro montones de cuartillas.

—He terminado —dijo—. Lo he mecanografiado a triple espacio para que os sea más fácil marcar posibles discrepancias entre las versiones. Sólo escuchar a ese chico le parte a una el alma. Hace veinte años que soy estenógrafa de los tribunales y he oído muchas declaraciones. He aprendido a distinguir cuando alguien dice la verdad. Y este chico la dice.

Bob sonrió cansadamente.

—Ojalá fueras la gobernadora, Marge —dijo—. Muchas gracias.

—¿Cómo os va?

Kathy meneó la cabeza.

—Nada. Absolutamente nada.

—Bueno, quizás esto que he hecho os sirva de algo. ¿Por qué no os traigo un café? Estoy segura de que ninguno de los dos ha cenado nada.

Cuando regresó diez minutos después, Bob y Kathy

estaban sentados con dos montones de cuartillas frente a cada uno.

Bob leía en voz alta. Comparaban línea por línea las transcripciones.

Marge dejó el café sobre el escritorio y se retiró en silencio. Un vigilante nocturno le abrió la puerta del edificio. Mientras se hundía en su pesado abrigo de invierno disponiéndose para atravesar el aparcamiento azotado por la nieve, se dio cuenta de que iba rezando internamente. «¡Dios mío, por favor! Si hay algo que pueda ayudar a ese muchacho, haz que ellos lo encuentren.»

Trabajaron duramente hasta el amanecer. Al final Kathy habló:

—No podemos continuar. Tengo que ir a casa para ducharme y vestirme. He de estar a las ocho en la Audiencia. Además, no quiero que te vean aquí.

Bob asintió. De todos modos ya no entendía siquiera lo que leía. Habían comparado una y otra vez las cuatro versiones de la narración que había hecho Ronald de todas sus actividades durante el día del crimen. Se habían centrado especialmente en el tiempo comprendido entre el momento en que hablara con Nina en la tienda de Timberly y el minuto exacto en que había huido, presa de pánico, de la casa de la víctima. No habían podido hallar ni una sola discrepancia digna de atención.

—Tiene que haber algo —dijo Bob obstinadamente—. Me llevaré las declaraciones de Ronald y la lista que hemos hecho basándonos en los otros cuatro casos.

—No puedo dejarte que te lleves los informes.

—Lo sé. Pero quizá se nos haya pasado algo al comparar los otros asesinatos.

—No se nos ha pasado nada —dijo Kathy con voz dulce.

Bob se levantó.

—Iré a mi despacho y comenzaré de nuevo. Compararé lo que tenemos con la transcripción del juicio.

Kathy le ayudó a guardar los documentos en la cartera.

—No te olvides del magnetofón y las cassettes —le dijo.

—No.

La rodeó con sus brazos y la atrajo hacia sí. Por un momento Kathy reclinó la cabeza en su pecho.

—Te quiero, Kathy.

—Yo también te quiero.

—¡Si tuviéramos más tiempo! —exclamó indignado—. ¡Esa maldita pena de muerte! ¿Cómo es posible que doce personas tengan derecho a decidir que un muchacho debe morir? Cuando descubran al verdadero asesino, si es que llegan a descubrirle alguna vez, será demasiado tarde.

Kathy le acarició la frente.

—Cuando decidieron implantar de nuevo la pena de muerte al principio me alegré. Siento más compasión por las víctimas que por los asesinos. Pero ayer vimos en el Tribunal de Menores el caso de un niño. Tiene catorce años y parece que tuviera once. Es muy bajito, delgadísimo. El padre y la madre son alcohólicos incurables. Firmaron una denuncia acusándole de incorregible cuando el niño tenía *siete años*. Desde entonces ha ido de correccional en correccional. Huyó de todos ellos. Esta vez la madre ha presentado una denuncia y el padre se opone a ella. Están separados y él quiere quedarse con el chico.

—¿Y qué pasó?

—Gané yo, si es que a eso puede llamársele victoria. Insistí en que le internaran en un asilo y el juez accedió. El padre está tan destrozado por el alcohol que ha perdido toda sensibilidad. El chico quiso huir de la sala de juicio. Tuvieron que salir corriendo tras él para cogerle. Se puso totalmente histérico y empezó a gritar: «¡Odio a todo el mundo! ¿Por qué no puedo tener un hogar como los demás?» Psicológicamente está tan destruido que probablemente ya es demasiado tarde para salvarle. Si dentro de cinco o seis años, comete un crimen, ¿le enviaremos a la silla eléctrica? ¿Será eso lo que hagamos?

Sus ojos fatigados se llenaron de lágrimas.

—Lo sé, Kathy. ¿Por qué tuvimos que estudiar Derecho? Debimos ser más listos. Esta carrera le destroza a uno. —Se inclinó y la besó en la frente—. Luego hablaremos.

Una vez en su despacho, Bob puso un cacharro lleno de agua a calentar en el infiernillo. Cuatro tazas de «Nescafé» bien cargadas y sin leche disiparon la neblina que invadía su cerebro. Se lavó la cara con agua fría y se sentó junto a la larga mesa de su despacho. Colocó sobre ella todos los documentos ordenadamente y miró el reloj que pendía de la pared sobre su escritorio. Eran las siete y media. Quedaban solamente veintiocho horas hasta la ejecución. Por eso le latía el corazón con tanta fuerza, por eso sentía un nudo en la garganta que le asfixiaba.

No. Aquello era más que una ansiedad desmedida. Algo le martilleaba en la conciencia. «Se nos ha pasado por alto algún detalle», pensó.

Esta vez no era una corazonada. Esta vez se trataba de una absoluta certeza.

20

Mucho después de que se fueran los Perry y de que los Lufts se retiraran a su habitación, Steve y Hugh Taylor se sentaron a cenar.

En silencio, con enorme eficiencia, los agentes habían buscado huellas por toda la casa y habían registrado las habitaciones y el jardín con la esperanza de hallar algún rastro del secuestrador. Pero, hasta el momento, la única prueba de que disponían era el mensaje garrapateado en el tablón de anuncios de la cocina.

—Las huellas que hemos hallado en la taza y en el vaso probablemente concordarán con las del bolso de Sharon Martin —dijo Hugh.

Steve asintió. Tenía la boca seca y notaba en ella un sabor salobre. Cuatro tazas de café. Cigarrillos innumerables. Había dejado de fumar al cumplir los treinta años. Volvió a hacerlo el día que murió Nina. Fue precisamente Hugh Taylor quien le dio el primer cigarrillo. Una especie de sonrisa, una mueca fría y carente de humor, se dibujó en sus labios.

—Usted fue quien me impulsó de nuevo al vicio —le dijo mientras encendía un nuevo cigarrillo.

Hugh asintió. Si alguien había visto en su vida que necesitara fumar, había sido Steve Peterson en aquella ocasión. Y ahora su hijo. Recordó el momento en que, sentado a esa misma mesa con Steve, un loco había llamado para decir que tenía un mensaje para el señor Peterson de parte de Nina. El mensaje era: «Dígale a mi marido que tenga cuidado. Mi hijo está en peligro.» Era la mañana del funeral de Nina Peterson.

Hugh se estremeció al recordar el incidente. Ojalá que Steve no estuviera ahora pensando en ello. Repasó metódicamente las notas que había tomado.

—En esa gasolinera «Exxon» hay, efectivamente, un teléfono público —le dijo a Steve—. Hemos intervenido la línea, así como la suya y la de los Perry. Recuerde que lo importante es que le retenga lo más posible en el teléfono. Eso nos dará la oportunidad de localizarle y grabar su voz. Lo que nos interesa más en este momento es que la señora Perry pueda recordar quién es el secuestrador si le oye hablar otra vez.

—¿No serán imaginaciones suyas eso de que reconoce la voz? Ya ha visto usted lo alterada que estaba.

—Todo es posible, desde luego, pero me parece una mujer muy sentada. Y está *tan segura* de lo que dice... En cualquier caso, por favor, coopere. Dígale a *el Zorro* que necesita una prueba de que Sharon y Neil se hallan vivos e ilesos. Que quiere un mensaje de ellos grabado en una cassette o una cinta. Sea lo que fuere que le pida, prométale que se lo dará, pero insista en que le pagará solamente cuando tenga pruebas de que se hallan sanos y salvos.

—¿No cree que eso puede irritarle?

Steve se asombró de que su voz sonara tan serena.

—No. Al contrario, es una garantía de que no va a perder la cabeza y...

Hugh apretó los labios bruscamente. Pero supo que Steve había entendido lo que iba a decir. Recogió el libro de notas que había dejado sobre la mesa.

—Comencemos de nuevo. ¿Quién sabía lo que iba a ocurrir aquí esta noche? ¿Quién estaba enterado de que los Lufts iban a salir y Sharon iba a quedarse con Neil?

—No lo sé.

—¿Los Perry?

—No. No he hablado con ellos en toda la semana. Únicamente para saludarles.

—Entonces, ¿sólo lo sabían usted, los Lufts y Sharon Martin?

—Y Neil.

—Es cierto. ¿Es posible que Neil haya comentado con otras personas el hecho de que iba a venir Sharon? ¿Con sus amigos, sus profesores...?

—Es posible.

—¿Hasta qué punto es seria su amistad con Sharon? Perdone, pero tengo que hacerle estas preguntas.

—Es muy seria. Voy a pedirle que se case conmigo.

—He sabido que usted y la señorita Martin aparecieron esta mañana en el programa «Hoy» y que mantuvieron una discusión sobre la pena de muerte. Concretamente que ella estaba muy alterada a propósito de la ejecución de Thompson.

—Se ve que trabaja usted de prisa.

—Es nuestra obligación investigar estas cosas, señor Peterson. ¿Hasta qué punto ese desacuerdo afecta a sus relaciones?

—¿Qué quiere decir con eso?

—Sólo lo que acabo de preguntarle. Como usted sabe, Sharon Martin ha tratado desesperadamente de salvar la vida de Ronald Thompson. Ha estado en casa de los Perry y ha podido copiar allí su número de teléfono. No olvide que no viene en la guía. ¿Cree que cabe la posibilidad de que este secuestro no sea más que un truco, un modo de conseguir que se suspenda la ejecución?

—¡No, no, no! Hugh, comprendo que su obligación es estudiar el caso desde todos los puntos de vista, pero, por favor, no pierda el tiempo contemplando esa posibilidad. Quienquiera que escribió ese mensaje, pudo copiar el número de teléfono de los Perry. Está allí mismo, en el tablón de anuncios, junto al del médico de Neil. Sharon es incapaz de hacer una cosa así. Totalmente incapaz.

Hugh no parecía muy convencido.

—Señor Peterson, durante los últimos diez años son muchos los que han violado la ley en nombre de una causa u otra. Quiero que vea la cuestión desde este punto de vista. Si todo esto es obra de Sharon Martin, su hijo está a salvo.

Steve sintió que en su interior se encendía una débil llama de esperanza. Recordó lo que Sharon le dijera aquella misma mañana: «¿Cómo puedes estar tan cierto, tan seguro de ti mismo? ¿Cómo puedes ser tan inflexible?» Si era eso lo que pensaba de él, ¿podría haber...? La llamita de esperanza se extinguió.

—No —dijo resueltamente—. Es imposible.

—Muy bien. Por el momento dejaremos el tema. ¿Qué me dice del correo? ¿Ha recibido alguna amenaza, alguna carta en que le insultaran, algo que pueda estar relacionado con el caso?

—Sí, he recibido bastantes cartas difamatorias a causa de la opinión que he expresado en el periódico acerca de la pena de muerte, especialmente ante la inminente ejecución de Ronald Thompson. Pero eso no es de extrañar.

—¿No ha recibido ninguna amenaza directa?

—No.

Steve frunció el ceño.

—¿Qué está pensando? —preguntó Hugh apresuradamente.

—La madre de Ronald Thompson me abordó la semana pasada. Todos los sábados por la mañana llevo a Neil a que le pongan una inyección de antihistamínicos. Cuando salimos del médico, ella estaba esperando en el aparcamiento. Me pidió que le suplicara a la gobernadora que perdonara a Thompson.

—¿Qué le contestó?

—Le dije que no podía hacer nada. Estaba deseando llevarme de allí a Neil. Naturalmente no quería que se enterase de lo del miércoles. Le hice entrar en el coche precipitadamente y mientras lo hacía le di la espalda a la madre de Thompson. Ella lo interpretó como un desprecio por mi parte. Me dijo más o menos: «¿Qué sentiría usted si se tratara de su hijo?» Y luego se marchó.

Hugh tomó unas cuantas notas en su cuaderno.

—Investigaremos el incidente.

Se puso en pie y estiró los hombros vagamente consciente de que hacía varias horas había deseado irse a la cama.

—Señor Peterson —dijo a continuación—, quiero que sepa usted que en cuanto a secuestros un gran porcentaje de casos se resuelven a nuestro favor y que en éste concretamente haremos todo lo que esté en nuestra mano para solucionarlo. Ahora le sugiero que duerma unas cuantas horas.

—¿Que duerma? —Steve le miró incrédulo.

—Por lo menos que descanse. Vaya a su habitación y échese. Nosotros nos quedaremos de guardia y le llamaremos si es necesario. Si suena el teléfono, conteste. Lo tenemos intervenido. Pero no creo que el secuestrador trate de ponerse en contacto con usted esta noche.

—Bien.

Steve salió del comedor con paso fatigado. Se detuvo en la cocina para beber un vaso de agua y nada más entrar se arrepintió de haberlo hecho. La taza de chocolate y la copa de jerez seguían sobre la mesa, cubiertas ahora por el polvo negruzco que la Policía utilizaba para sacar las huellas.

Sharon. Pocas horas antes estaba en esta casa con

Neil. Hasta hacía tres semanas, cuando ella se fue de viaje y él empezó a echarla tanto de menos, no se había dado cuenta de hasta qué punto deseaba que Neil confiara en ella, que lo quisiera.

En silencio, salió de la cocina, entró en el vestíbulo y subió las escaleras. Avanzó por el pasillo, pasó junto a la habitación de Neil, junto al cuarto de los invitados, y entró en el dormitorio principal. Oyó pasos en el piso de arriba. Los Lufts paseaban por su habitación. Era evidente que tampoco ellos podían dormir.

Dio la luz y permaneció de pie junto a la puerta estudiando el dormitorio. Lo había hecho decorar de nuevo tras la muerte de Nina. No quería seguir viviendo entre aquellos muebles antiguos de color blanco que ella tanto había querido. Sustituyó la cama de matrimonio por una cama pequeña de latón y eligió una tapicería de *tweed* marrón y blanco. «Un ambiente muy masculino», le había dicho el decorador.

Nunca le había gustado. La habitación resultaba solitaria, desolada e impersonal, como la de un hotel. Toda la casa daba esa impresión. La habían comprado porque querían tener vista al canal. Nina le había dicho: «Tiene posibilidades. Espera y lo verás. Dame seis meses.»

Sólo tuvo dos semanas.

La última vez que estuvo en casa de Sharon, soñó con rehacer esta habitación, la casa entera, con ella. Sharon sabía cómo hacer una casa acogedora, cómoda y atractiva. El secreto estaba en los colores que utilizaba, en saber crear un ambiente despejado y abierto... Y en su presencia.

Se quitó los zapatos y se tendió pesadamente a través de la cama. Hacía frío. Se incorporó, cogió la colcha que había plegada a los pies, y se cubrió con ella. Apagó la luz encendida a la cabecera.

La habitación quedó en tinieblas. Fuera, las ramas de los cerezos silvestres azotaban las paredes de la casa bajo el impulso del viento. La nieve chocaba contra los cristales con un ruido sordo, amortiguado.

Steve se hundió en un sopor ligero, inquieto. Comenzó a soñar con Sharon. Neil. Le pedían ayuda. Él corría a través de una niebla espesa por un largo pasillo. Llegaba ante la puerta de una habitación. Quiso entrar. Tenía que entrar en ella. La abría de un empujón. Y la niebla se fue haciendo menos intensa. Se disipaba. Ahora había desaparecido. Neil y Sharon estaban tendidos en el suelo, sendos pañuelos atados en torno a la garganta. En el suelo, una línea de tiza iridiscente subrayaba el contorno de sus cuerpos.

21

Era demasiado arriesgado que le vieran salir del túnel de la línea de Mount Vernon a esa hora de la noche. Los vigilantes de aquella zona de la estación se fijaban mucho en este tipo de detalles. Por eso dejó **solos a Sharon** y al niño a las once menos dos minutos. Porque exactamente a las once un tren llegó con enorme estruendo a la estación. Su llegada le permitió subir la rampa y las escaleras en unión de las ocho o diez personas que habían descendido de él.

Avanzó muy cerca de los tres pasajeros que se dirigieron a la salida de la avenida Vanderbilt. Sabía que a los ojos de cualquiera que le contemplase, formaba parte de un grupo de cuatro personas. Una vez fuera de la estación se apartó de los otros, que doblaron a la izquierda. Se dirigió hacia la derecha, miró a la calzada y se detuvo en seco. La grúa de la Policía. En ese momento los empleados municipales ataban estrepitosamente unas cadenas a un viejo «Chevrolet» de color marrón. Estaban a punto de llevárselo.

Sintió un enorme regocijo. Sin detenerse echó a andar en dirección al Norte. Pensaba hacer la llamada de teléfono desde la cabina que había delante de Bloomingdale's. Aquel recorrido de quince manzanas a lo largo de la avenida Lexington le dejó helado y apagó en parte el deseo que había experimentado al besar a Sharon y que aún no le había abandonado. Ella le deseaba otro tanto. Estaba seguro.

Habrían hecho el amor en ese mismo momento de no haber sido por el niño. A pesar de la venda con que le había cubierto los ojos, sentía la presencia de su mirada. Quizá pudiera ver a través de las gasas. La idea le hizo estremecerse.

La nevada había amainado, pero el cielo seguía encapotado. Frunció el ceño al recordar la importancia de que las calles estuvieran limpias de nieve cuando tuviera que recoger el dinero.

Llamaría a casa de los Perry y si éstos no contestaban, telefonearía directamente a Peterson. Pero esto último podía resultar arriesgado.

Tuvo suerte. La señora Perry cogió el teléfono al primer timbrazo. Notó en su voz que estaba muy nerviosa. Probablemente estaba enterada ya de que Sharon y el niño habían desaparecido. Dio el mensaje a Glenda Perry con ese tono bajo y ronco que había estado practicando. Sólo en el último momento, cuando ella no pudo entender su nombre, perdió el control y elevó la voz. ¡Qué terrible descuido! ¡Qué estúpido había sido! Pero probablemente ella estaba demasiado alterada para reconocerle.

Colgó el auricular y sonrió. Si habían avisado al FBI, intervendrían la línea de la gasolinera «Exxon». Por eso, cuando llamara a Peterson a la mañana siguiente, le diría que se trasladara a la cabina de la gasolinera siguiente. No tendrían tiempo de localizarle.

Salió de la cabina sintiéndose exultante, genial. En el quicio de la puerta de una pequeña *boutique*, había una muchacha. A pesar de la intensidad del frío, vestía minifalda. Unas botas blancas y una chaqueta de piel del mismo color completaban un conjunto que él juzgó atractivo. La muchacha le sonrió. El cabello, cardado y rizoso, le enmarcaba perfectamente el rostro. Era joven, no tendría más de dieciocho o diecinueve años. Y se le notaba que él le atraía. Era evidente que sus ojos le sonreían. Echó a andar hacia ella.

Pero de pronto se detuvo. Se trataba indudablemente de una prostituta y, aunque era sincera al demostrar que él la gustaba, ¿qué pasaría si la Policía les veía y les detenía a los dos? Miró en torno suyo atemorizado. No sería el primer caso en que un plan perfecto se iba al traste por un pequeño error.

Pasó estoicamente junto a la muchacha, le dirigió una sonrisa breve, casi un esbozo, y bajó la cabeza en medio de la noche. Luego se dirigió apresuradamente al «Biltmore».

El empleado que le alargó la llave era el mismo que le mirara con desdén la noche de su llegada. No había cenado y tenía hambre. Pidió que le subieran junto con la comida dos o tres botellas de cerveza. A esa hora de la noche no podía pasarse sin ella. Cuestión de costumbre, debía ser.

Mientras esperaba a que le subieran las dos hamburguesas con patatas fritas y una ración de tarta de manzana, dejó que el agua de la bañera empapara su piel. En aquel cuarto de la estación reinaban tanta humedad, tanto frío, tanta suciedad... Después de secarse, se puso el pijama que había comprado para el viaje y examinó detenidamente su traje para comprobar si tenía alguna mancha. Estaba perfectamente limpio.

Dio una generosa propina al camarero que le subió la cena. Siempre lo hacían así en las películas. Bebió de un trago la primera botella de cerveza. La segunda la tomó con las hamburguesas. La tercera la bebió lentamente mientras escuchaba las noticias de media noche. Volvieron a hablar de Thompson:

—Ayer fracasó el último intento de conseguir un aplazamiento de la sentencia de Ronald Thompson. Continúan los preparativos para que la ejecución se lleve a cabo a la hora prevista, es decir, mañana a las once y media de la mañana...

Ni una palabra de Neil ni de Sharon. La publicidad era lo que más temía porque alguien podía empezar a atar cabos. Había sido un error matar a esas dos chicas el mes pasado. Pero no pudo evitarlo. Desde entonces no había vuelto a salir de noche en su automóvil sin rumbo concreto. Era demasiado peligroso. Cuando oía a una mujer emitir un mensaje de socorro, algo le impulsaba a acercarse sin que pudiera dominarse.

El recuerdo de las dos mujeres le revolvió por dentro. Inquieto, apagó la radio. No, mejor era no hacerlo. Podía excitarse demasiado.

Pero no pudo resistirse a la tentación.

Del bolsillo de la chaqueta sacó una pequeña grabadora, un modelo muy caro, y las cassettes que siempre llevaba consigo. Seleccionó una, la introdujo en el aparato, se acostó, apagó la luz y se acurrucó en el interior de la cama. Agradeció el frescor de aquellas sábanas limpias y crujientes, el tibio calor que proporcionaban las mantas y la colcha... En adelante, Sharon y él se alojarían en muchos hoteles como éste.

Se introdujo el pequeño auricular de goma en una oreja y apretó el botón que ponía en funcionamiento la grabadora. Durante varios minutos oyó el sonido de un motor, luego un débil chirriar de frenos, una puerta que se abría, y su propia voz. Hablaba en tono amable y tranquilizador mientras se bajaba del «Volkswagen».

Dejó pasar la cinta hasta que llegó la mejor parte y entonces escuchó una y otra vez. Al final se cansó. Apagó la grabadora, se sacó el auricular del oído y se hundió en el sueño con el eco de los sollozos de Jean Carfolli resonando en sus oídos: «No, por favor... No...»

22

Marian y Jim Vogler hablaron hasta bien entrada la noche. A pesar de los esfuerzos de su esposo por consolarla, Marian estaba desesperada.

—No me importaría tanto si no acabáramos de gastarnos todo ese dinero. *¡Cuatrocientos dólares!* Si tenían que robarnos el coche, ¿por qué no lo hicieron la semana pasada, cuando aún no lo habíamos arreglado? Marchaba tan bien... Arty lo dejó como nuevo. Ahora, ¿cómo voy a ir a casa de los Perry? Perderé el trabajo.

—Cariño, no te preocupes. Pediré prestados doscientos dólares y mañana mismo compraré otro coche cualquiera.

—¡Jim! ¿Lo dices en serio?

Marian sabía cuánto odiaba Jim pedir dinero prestado a los amigos, pero si lo hiciera sólo esta vez...

En medio de la oscuridad que reinaba en el cuarto, Jim no pudo ver su expresión de alivio, pero sí notó el leve relajamiento de su cuerpo.

—Amor mío —le tranquilizó—, llegará el día en que nos reiremos de todas estas malditas facturas. Antes de que te des cuenta habremos salido de este atolladero.

—Supongo que sí.

Marian asintió. De pronto sintió un cansancio infinito. Se le cerraban los ojos.

Comenzaba a invadirles el sueño cuando sonó el teléfono. Su agudo repicar les sobresaltó. Marian se incorporó y se quedó apoyada en la cama sobre un codo mientras Jim trataba a tientas de encender la lámpara de la mesilla de noche y descolgaba el auricular.

—¿Diga? Sí, sí... Soy Jim Vogler. Esta noche. Sí. ¡Estupendo! ¿Dónde? ¿Dónde dice que puedo recogerlo? ¡No puede ser! Es increíble. *¡No me diga!* Muy bien. Calle 36 y Avenida 12. Muy bien. Sí, Gracias.

Colgó.

—¡El coche! —exclamó Marian—. ¡Han encontrado el coche!

—Sí, en Manhattan. Estaba aparcado en zona prohibida en el centro de la ciudad y la Policía se lo llevó con la grúa. Podremos recogerlo mañana por la mañana. El agente que ha llamado dice que probablemente lo robaron unos chicos para divertirse un poco.

—¡Jim! ¡Cuánto me alegro!

—Hay sólo un pequeño problema.

—¿Cuál?

Jim Vogler entornó los párpados. Sus labios se fruncieron.

—Cariño, ¿quieres creer que tenemos que pagar los quince dólares de la multa y los sesenta de la grúa?

Marian se quedó sin aliento.

—¡Pero eso es mi sueldo entero de la primera semana!

Sin poder evitarlo, ambos se echaron a reír al unísono.

Por la mañana, Jim tomó el tren de las seis y cuarto a Nueva York y a las nueve menos cinco estaba de vuelta con el coche. Marian estaba esperándole lista para salir. A las nueve en punto enfilaba la calle Driftwood. El automóvil estaba en perfecto estado a pesar del viaje subrepticio que había hecho a Nueva York y Marian agradeció la idea de haberle puesto neumáticos nuevos para la nieve. Con ese tiempo eran absolutamente necesarios.

Frente a la puerta de los Perry había aparcado un «Mercury». Se parecía mucho al que había visto ante la casa de enfrente la semana anterior cuando había venido para solicitar el trabajo. Los Perry debían tener visita.

Insegura, detuvo su automóvil tras el «Mercury» teniendo cuidado de no bloquear la entrada al garaje. Se detuvo un momento antes de abrir la portezuela. Estaba un poco nerviosa. Todo ese lío con el coche justo el día antes de ir a trabajar... «Tienes que dominarte —se dijo—. Puedes darte con un canto en los dientes. Al menos han encontrado el automóvil.» Acarició afectuosamente con la mano enguantada el asiento contiguo al suyo.

Su mano se detuvo en seco. Uno de sus dedos había tropezado con algo duro. Bajó la mirada y de la pequeña ranura que quedaba entre el asiento y el respaldo extrajo un objeto brillante.

Era una sortija. La miró detenidamente. ¡Qué bonita era! Tenía una piedra de un color blanco lechoso rodeada de una montura antigua de oro. El que robó el coche debía haberla perdido.

Bueno, una cosa era segura. Que no iba a reclamarla. En cuanto a ella, la consideraba suya. Como compensación de los setenta y cinco dólares que Jim había tenido que pagar por la multa y la grúa. Se quitó el guante y se puso la sortija. Le ajustaba perfectamente al dedo.

Aquel era un buen augurio. Cuando Jim se enterara... Sintiéndose de pronto confiada, Marian abrió la portezuela del coche, salió a la nieve y se encaminó con paso vivo hacia la puerta de servicio de los Perry.

23

El timbre del teléfono público situado en la cabina de la gasolinera «Exxon», sonó exactamente a las ocho en punto. Sobreponiéndose a la sequedad, súbita y absoluta de su boca, a la rigidez de los músculos de su garganta, Steve tragó saliva y descolgó el auricular.

—¿Diga?

—¿Peterson?

La voz sonaba tan ahogada, tan baja, que tuvo que hacer un gran esfuerzo para oírla.

—Sí.

—Le llamaré dentro de diez minutos al teléfono público de la gasolinera que hay nada más pasar la salida veintiuno. Acuda allí.

La comunicación se cortó.

—Espere... Espere.

El zumbido del teléfono le asaltó el oído.

Desesperado, miró hacia las bombas de gasolina. Hugh había llegado pocos minutos antes que él. El capó de su automóvil estaba levantado y él se hallaba fuera del vehículo, de pie, junto al empleado de la gasolinera señalando uno de los neumáticos. Steve sabía que le estaba mirando. Denegó con la cabeza, subió a su coche y volvió a la autopista. Antes de doblar para entrar en ella, vio que Hugh saltaba al interior de su automóvil.

El tráfico se movía lentamente sobre el asfalto resbaladizo. Se aferró al volante. No lograría llegar a la gasolinera siguiente en sólo diez minutos. Hizo girar el volante y avanzó por el carril de la derecha.

Esa voz. Apenas había podido oírla. El FBI no lograría localizar la llamada.

Esta vez trataré de mantener a *Zorro* más tiempo en la línea. Quizá también él pudiera reconocer su voz. Se aseguró de que el bloc y el lápiz que había cogido al salir de casa seguían en su bolsillo. Tenía que escribir puntualmente todo lo que *Zorro* le dijera. A través del espejo retrovisor vio que le seguía un coche. Era el de Hugh.

A las once y diez, Steve llegaba a la gasolinera. El teléfono de la cabina sonaba insistentemente. Se precipitó hacia él y descolgó el auricular.

—¿Peterson?

Esta vez su interlocutor hablaba en voz tan baja que tuvo que taparse el otro oído para no escuchar los ruidos de la carretera.

—Quiero ochenta y dos mil dólares en billetes de diez, veinte y cincuenta. Nada de billetes nuevos. Acuda mañana a las dos de la madrugada a la cabina telefónica de la esquina suroeste del cruce de la Calle 59 y Lexington, en Manhattan. Vaya en su coche. Y solo. Le diré dónde tiene que dejar el dinero.

—Ochenta y dos mil dólares...

Steve comenzó a repetir las instrucciones. Esa voz. Pensó frenéticamente. «Escucha bien la entonación, trata de grabarla en la memoria, óyela bien para poder imitarla luego», se dijo.

—Dése prisa, Peterson.

—Estoy apuntándolo. Conseguiré el dinero. Estaré allí. Pero, ¿cómo puedo saber que mi hijo y Sharon siguen vivos? ¿Cómo sé con seguridad que usted los tiene en su poder? Necesito una prueba.

—¿Una prueba? ¿Qué clase de prueba?

El susurro revelaba irritación.

—Una cinta, una casete... algo en que hablen los dos.

—*¡Una casete!*

¿Era una carcajada ese sonido ahogado? ¿Reía su interlocutor?

—¡Es imprescindible! —insistió Steve. «¡Dios mío! —suplicó internamente—. ¡Que no esté cometiendo un error tremendo!»

—Tendrá su casete, Peterson.

Al otro lado de la línea, su interlocutor colgó violentamente el auricular.

—¡Espere! —gritó Steve—. ¡Espere!

Silencio. El zumbido de la señal de marcar. Colgó lentamente.

Se dirigió a casa de los Perry y esperó allí a Hugh tal y como habían convenido. Demasiado nervioso para quedarse en el interior del coche, se bajó y esperó de pie en la avenida que conducía al garaje. El aire helado, cargado de humedad, le hizo estremecerse. Dios mío, ¿era verdad todo aquello? ¿Era real esa auténtica pesadilla?

El automóvil de Hugh apareció al fondo de la manzana y se detuvo junto al suyo.

—¿Qué le ha dicho?

Steve sacó su bloc y leyó las instrucciones. La sensación de irrealidad se hizo aún más aguda mientras leía.

—¿Qué me dice de la voz? —preguntó Hugh.

—Creo que la ha disimulado. Hablaba muy bajo. Aunque hubieran podido ustedes grabar esa segunda llamada, no creo que nadie hubiera podido identificarla.

Miró la acera de enfrente sin ver y de pronto se iluminó en su interior un rayo de esperanza.

—Me prometió que me enviaría una casete. Eso significa que deben seguir vivos.

—Estoy seguro de ello.

Hugh no expresó en alta voz su temor de que era casi imposible que la casete llegara a manos de Steve antes de que éste pagara el rescate. El correo no era tan rápido, ni siquiera el urgente. Y los servicios de mensajero eran fáciles de rastrear. Por otra parte, el secuestrador no quería que se diera publicidad al asunto, lo que significaba que no entregaría necesariamente la casete ni a un periódico ni a una emisora de radio.

—¿Y el rescate? —preguntó a Steve—. ¿Puede usted reunir en un día ochenta y dos mil dólares?

—No tengo ni cinco céntimos —dijo Steve—. He invertido tanto en el periódico que estoy absolutamente al descubierto. Tengo la casa hipotecada. No me queda nada. Pero puedo conseguir ese dinero gracias a la madre de Neil.

—¿A la madre de Neil?

—Poco antes de morir, heredó de su abuela setenta y cinco mil dólares. Abrí con ellos una cuenta a nombre de Neil, para cuando vaya a la Universidad. Están depositados en un banco de Nueva York. Con los intereses debe haber ahora poco más de ochenta y dos mil dólares.

—*Poco más de ochenta y dos mil dólares, ¿eh?* Señor Peterson, ¿cuántas personas estaban al tanto de la existencia de esa cuenta?

—No lo sé. Creo que nadie excepto mi abogado y mi contable. Estas cosas no se pregonan.

—¿Lo sabía Sharon Martin?

—No recuerdo habérselo dicho.

—Pero, ¿es posible que se lo dijera?

—No se lo dije.

Hugh empezó a andar en dirección a los escalones del porche.

—Señor Peterson —dijo cautelosamente—. Es necesario que haga memoria y recuerde bien quién estaba enterado de la existencia de ese dinero. Eso, y la posibilidad de que la señora Perry identifique la voz del secuestrador, son las dos únicas posibilidades que tenemos.

Llamaron al timbre y Roger acudió a abrir la puerta.

En el momento en que los dos hombres entraron, se llevó un dedo a los labios. Tenía el rostro pálido y tenso, los hombros caídos.

—Acaba de irse el médico. Le ha dado a Glenda un sedante. No puede convencerla de que vaya al hospital, aunque él cree que se halla al borde de otra trombosis.

—Lo siento, señor Perry, pero tenemos que pedirle a su esposa que escuche la grabación de la primera llamada que hizo el secuestrador esta mañana.

—No puede ser. Por el momento es imposible. Este asunto está acabando con ella. La está matando. —Apretó los puños y tragó saliva—. Lo siento mucho, Steve. ¿Qué ha ocurrido?

Peterson explicó mecánicamente. Seguía experimentando la sensación de irrealidad que le asaltara horas antes. La sensación de que en todo aquello él no era más que un espectador, un simple testigo sin posibilidades de intervenir en la tragedia que presenciaba.

Se hizo una larga pausa. Luego Roger habló lentamente.

—Glenda se ha negado a ir al hospital porque quiere oír esa grabación. El doctor le ha dado un tranquilizante muy fuerte. Si pudiera dormir un rato... ¿Quiere volver con la cinta más tarde? Ahora no puede levantarse de la cama.

—Desde luego —dijo Hugh.

El timbre de la puerta les sorprendió como un intruso.

—Es el de la entrada de servicio —dijo Roger—. ¿Quién diablos será? ¡Dios mío! El ama de llaves. Me había olvidado de ella.

—¿Cuánto tiempo estará aquí?

—Cuatro horas.

—No me gusta. Puede oír algo. Diremos que soy el médico y cuando nosotros nos vayamos, mándela a casa. Dígale que la llamará dentro de un par de días. ¿De dónde es?

—De Carley.

El timbre sonó de nuevo.

—¿Es la primera vez que viene a esta casa?

—Estuvo aquí la semana pasada.

—Quizá convenga sondearla un poco.

—Bien.

Roger corrió a abrir la puerta de servicio y regresó con Marian. Hugh estudió el rostro agradable de la mujer.

—Ya he explicado a la señora Vogler que mi mujer está enferma —dijo Roger—. Señora Vogler, mi vecino, el señor Peterson, y el doctor Taylor.

—¿Cómo están ustedes? —Tenía una voz cálida, un poco tímida—. Señor Peterson, ¿es suyo ese «Mercury»?

—Sí.

—Entonces tiene que ser su hijo el niño a quien conocí. Estaba en el jardín cuando vine la semana pasada y me indicó esta casa. Lo tiene muy bien educado. Debe estar muy orgulloso de él.

Marian se quitó el guante de la mano derecha y se la alargó a Steve.

—Sí, estoy muy orgulloso de Neil.

Steve se volvió bruscamente de espaldas a ella y se aferró al pomo de la puerta. Lágrimas cegadoras le escocieron en los ojos.

«¡Dios mío! ¡Por favor...!»

Hugh acudió en su ayuda. Estrechó la mano de Marian teniendo cuidado de no clavarse en el dedo la montura del extraño anillo que llevaba. «¡Cuánta elegancia para hacer faenas caseras!», se dijo. Su expresión cambió sutilmente.

—Creo que es muy buena idea que venga a ayudar la señora Vogler, señor Perry —dijo—. A saber cuánto se preocupa su señora por la casa. Yo la dejaría empezar a trabajar hoy mismo como habían acordado.

—Entiendo... Como usted diga.

Roger miró a Hugh y comprendió lo que éste quería decir. ¿Creería el policía que aquella mujer tenía algo que ver con la desaparición de Neil?

Sorprendida, Marian miró a Steve que en ese momento abría la puerta principal. Quizás había juzgado demasiado atrevido que una simple criada le tendiera la mano. Tendría que pedirle disculpas. Y de ahora en adelante tendría siempre bien presente que en aquella casa no era más que una simple ama de llaves.

Se acercó, y estaba a punto de darle un golpecito en el hombro, cuando lo pensó mejor y, en silencio, mantuvo la puerta abierta para que saliera Hugh. Avergonzada, la cerró después tras ellos y, al hacerlo, la sortija chocó contra el pomo produciendo un leve sonido.

24

No quería ser un llorica. Siempre trataba de dominarse todo lo que podía, pero eso de llorar era igual que cuando le daba un ataque de asma. No había forma de detenerlo. Se le hacía un nudo en la garganta, se le tapaba la nariz, y unas lágrimas de niño le humedecían el rostro. En el colegio lloraba mucho. Sabía que los otros niños le consideraban muy crío por eso, y también la profesora, aunque ella nunca se reía de él.

Pero algo en su interior le hacía sufrir todo el tiempo. Era una sensación de miedo, de preocupación constante. Todo comenzó el día en que murió mamá y se fue al Cielo. Él estaba jugando con sus trenes. Desde entonces no había querido volver a verlos.

El recuerdo de aquel día le hizo jadear. No podía respirar bien por la boca a causa de la mordaza. Su pecho se agitaba angustiosamente. Quiso aspirar una bocanada de aire y la gasa se introdujo entre sus dientes. La notó áspera y seca. Trató de decir: «No puedo respirar», y la venda entró aún más en su boca. Se ahogaba. Iba a empezar a llorar.

—¡Neil, basta!

La voz de Sharon sonaba rara, ronca y profunda, como si saliera de lo más hondo de la garganta. Pero el rostro de la muchacha estaba junto al suyo, y aunque les separaba un trozo de tela, sentía cómo se movían los músculos de su cara mientras hablaba. Debía estar también amordazada.

¿Dónde estarían? Hacía mucho frío y el ambiente estaba enrarecido. Les habían echado algo encima, una manta probablemente. La venda que le cubría los ojos estaba muy apretada y no podía ver absolutamente nada.

Un hombre había abierto la puerta de un empujón y le había derribado al suelo. Luego les había atado y se había llevado a Sharon. Al rato había vuelto, le había recogido del suelo y le había metido a duras penas en una especie de bolsa. Una vez, en casa de Sandy, un día que jugaban al escondite, se había escondido en una bolsa de plástico de esas que utilizan los jardineros para recoger hojas secas. Entonces había experimentado la misma sensación. No recordaba nada de lo sucedido después que el hombre le introdujera en la bolsa. Nada hasta que Sharon le sacó de ella. Se preguntó por qué cayó al suelo.

No quería pensar en eso. En este momento Sharon decía:

—Respira lentamente, Neil. No llores. Tú eres muy valiente.

También ella le consideraba un llorica, estaba seguro. Esa misma noche, cuando había llegado a casa, le había encontrado llorando. Poco antes, cuando no había querido tomarse la tostada y el té que acababa de prepararle la señora Lufts, ésta le había dicho:

—Se ve que vamos a tener que llevarte con nosotros a Florida cuando nos vayamos, Neil. De algún modo tenemos que engordarte.

«¡Claro!», se dijo. Ahí estaba la prueba. Si papá se casaba con Sharon, pasaría lo que había dicho Sandy. A los niños enfermos no los quiere nadie. Le obligarían a ir con los Lufts.

Por eso había empezado a llorar.

Pero ahora estaba enfermo y Sharon no parecía estar furiosa con él. Con esa voz tan rara que sacaba de pronto, le decía:

—Aspira, exhala... despacito. Respira por la nariz. —Y él trataba de obedecer—. Eres un niño muy valiente, Neil. Piensa en lo que dirán tus amigos cuando se lo cuentes.

A veces Sandy le preguntaba acerca del día en que habían matado a su madre. Una vez le había dicho:

—Si alguien tratara de hacer daño a mi mamá, yo se lo impediría.

Quizás él debió tratar de defender a su madre. Muchas veces había querido hablar de eso a papá, pero nunca había podido.

Su padre siempre le decía que no tenía que volver a pensar nunca en ese día.

Pero a veces no podía evitarlo.

Respiró lentamente. El cabello de Sharon le rozaba la mejilla. No parecía que a ella le importara estar tan apretada contra él. ¿Por qué les habría traído aquí ese hombre? Sabía quién era. Le había visto hacía un par de semanas, el día en que el señor Lufts le llevó adonde trabajaba.

Desde entonces había tenido muchas pesadillas. Quiso contárselo a papá, pero la señora Lufts entró justo en el momento en que empezaba a decírselo y él se sintió tan estúpido que no dijo una palabra más.

La señora Lufts siempre le estaba preguntado tonterías: «¿Te has lavado ya los dientes? ¿Te dejaste la bufanda puesta durante el almuerzo? ¿Estás bien? ¿Has dormido a gusto? ¿Te has comido todo? ¿Te mojaste los pies? ¿Has colgado tu ropa?»

Y nunca le dejaba contestar. Registraba su cabás cuando él volvía del colegio para ver si se había comido todo lo que le había puesto, y siempre le estaba haciendo abrir la boca para mirarle la garganta.

Cuando mamá vivía en casa, era diferente. La señora Lufts venía sólo un día por semana a limpiar. Pero cuando mamá se fue al Cielo los Lufts se instalaron en la habitación de arriba y todo cambió.

Pensando en todo aquello, escuchando a Sharon, había dejado de llorar sin darse cuenta. Ahora tenía miedo, pero no tanto como aquel día en que mamá cayó al suelo y él quedó solo... No tanto como aquel día.

Aquel hombre...

Volvió a respirar agitadamente. Se ahogaba.

—Neil —Sharon frotaba ahora su mejilla contra la de él—. Trata de pensar en lo que pasará cuando salgamos de aquí. En lo contento que se pondrá tu papá al vernos. Estoy segura de que nos llevará a alguna parte para celebrarlo. ¿Sabes? Me gustaría ir a patinar sobre hielo contigo. No viniste por fin aquella vez que tu papá quiso traerte a Nueva York a patinar. Pensábamos llevarte después al zoológico que hay cerca de la pista de patinaje...

Escuchó. Parecía que Sharon decía la verdad. Aquel día había pensado ir, pero cuando Sandy le dijo que probablemente Sharon no quería que fuera, que fingía querer verle sólo por darle gusto a su papá, decidió quedarse en casa.

—Tu padre me ha dicho que el año que viene va a empezar a llevarte a los partidos de fútbol de Princeton —le decía ahora—. Yo solía ir a los de la Universidad de Darmouth cuando era estudiante. Todas las temporadas jugaban un partido contra Princeton, pero para entonces tu papá se había graduado ya. Fui a una Universidad de chicas, a Mount Holyoke. Estaba sólo a dos horas de Darmouth y muchas solíamos ir allí todos los fines de semana, especialmente durante la temporada de fútbol.

«Hablaba con voz rara, como si le retumbara la voz en algún sitio», se dijo Neil.

—Muchos padres llevan a sus hijos a los partidos. Tu papá está muy orgulloso de ti. Me ha dicho que eres muy valiente cuando te ponen las inyecciones para el asma. Dice que otro cualquiera armaría un escándalo si tuvieran que ponerle una inyección cada semana, pero que tú nunca lloras ni te quejas. Hay que tener mucho valor para eso.

Sharon tragó saliva. Le costaba un gran esfuerzo hablar.

—Neil, haz planes. Eso es lo que hago yo cuando tengo miedo o estoy enferma. Pienso en algo que me

116

gustaría hacer. El año pasado fui al Líbano, que es un país que está como a cinco mil millas de distancia, a escribir para el periódico sobre la guerra que había allí. Estaba en un hotel horrible y una noche me puse enferma. Había cogido una gripe y estaba sola. Me dolían las piernas, los brazos, todo. Lo mismo que me duelen ahora con estas cuerdas. Entonces me puse a pensar que cuando volviera a casa tenía que hacer algo que deseara mucho. Recordé un cuadro que había querido comprar. Era una vista de un puerto con muchos barcos. Me dije que tan pronto como volviera a casa, me compraría ese cuadro. Y lo hice.

Su voz sonaba cada vez más baja. Tenía que escuchar atentamente para poder entender todo lo que decía.

—Creo que deberíamos pensar algo muy bueno para ti. Algo de verdad sensacional. Ya sabes que tu papá dice que los Lufts están deseando irse a Florida.

Neil sintió que un puño gigante le apretaba el pecho.

—Tranquilo, Neil. Recuerda, respira despacio. Verás, cuando tu papá me enseñó la casa, vi la habitación de los Lufts. Miré por la ventana y creí estar viendo ese cuadro de que te he hablado. Se ve todo el puerto y los barcos, y el canal, y la isla. Yo que tú, cuando los Lufts se vayan a Florida, me quedaría con su habitación. Pondría estanterías para los libros, y unas baldas muy anchas para tus juegos, y un escritorio bien bonito. Es un cuarto tan grande que tienes sitio de sobra para tus trenes. Tu papá me ha dicho que te encantan los trenes. A mí también me gustaban mucho cuando era pequeña. Verás, tengo unos trenes Lionel estupendos que eran de mi papá. Son viejísimos. Te los regalaré.

Cuando los Lufts se vayan a Florida. Cuando los Lufts se vayan a Florida... Estaba claro que Sharon no pensaba que él fuera a irse con ellos. Acababa de decirle que debía quedarse en su habitación.

—Ahora tengo miedo y me duele todo y daría cualquier cosa por no estar aquí, pero me alegro mucho de que estés conmigo y le contaré a tu papá lo valiente que has sido y el cuidado que has tenido de respirar despacio para no ahogarte.

La pesada losa negra que sentía siempre sobre su pecho se elevó ligeramente. La voz de Sharon la movía muy suavecito del mismo modo que él se movía los dientes cuando se le aflojaban. De pronto sintió mucho sueño. Tenía las manos atadas, pero podía mover los dedos. Los deslizó a lo largo del brazo de Sharon hasta que encontró lo que quería. Un trozo de su manga al que aferrarse. Apretando entre los dedos la suave lana, se hundió poco a poco en el sueño.

Su respiración, ronca y jadeante, adquirió al menos un ritmo regular. Sharon oyó temerosa el silbido que surgía de la garganta del niño y notó la agitación de su pecho. Aquel cuarto era húmedo y frío y Neil estaba acatarrado. Pero al menos estaban tan apretados el uno contra el otro, que ella podía comunicarle su calor.

¿Qué hora sería? Habían llegado a aquel cuarto a las siete y media. El hombre, *Zorro*, había permanecido con ellos varias horas. ¿Cuánto tiempo haría que se había ido? Debía ser pasada la media noche. Era martes. *Zorro* les había dicho que iba a tenerles allí hasta el miércoles. ¿De dónde iba a sacar Steve ochenta y dos mil dólares? Y, ¿por qué esa cifra tan rara? ¿Trataría de ponerse en contacto también con sus padres? No le sería fácil porque ahora vivían en Irán. Cuando Neil despertara le hablaría de eso, le contaría que su padre era ingeniero.

«El miércoles por la mañana tú y yo nos iremos y a Peterson le diré dónde puede encontrar a su hijo.»

Pensó en aquella promesa. Tendría que fingir que estaba deseando irse con él. En cuanto Neil estuviera a salvo y ella se hallara con el secuestrador en la sala de espera de la estación, empezaría a gritar. Pasara lo que pasase. Tendría que correr el riesgo.

¿Por qué le habría secuestrado? Había algo extraño en el modo en que miraba a Neil. Como si le odiara, como si le... temiera. Pero eso era imposible.

¿Le habría dejado puesta la venda porque temía que el niño le reconociera? Quizá viviera en Carley. Si era así, ¿cómo iba a permitir que siguiera viviendo? Neil le vio cuando entró en la casa. Se le había quedado mirando. Si volvía a verle, le reconocería. Estaba segura de ello. Y él tenía que saberlo también. ¿Estaría planeando matar a Neil tan pronto como tuviera el dinero en su poder?

Sí, eso era.

Aunque ella se fuera con él, Neil no se salvaría.

El miedo y la indignación la impulsaron a apretarse aún más contra él, a doblar las piernas para adaptarlas a las del niño, a tratar de protegerle con un arco de su cuerpo femenino.

Mañana.

El miércoles.

Eso mismo debía sentir ahora la señora Thompson. Esa sensación de rabia, de temor, de impotencia, unida al instinto ancestral de proteger a su hijo. Neil era el único hijo de Steve, y Steve había sufrido tanto... Debía estar desesperado. Él y la señora Thompson estaban pasando por idéntica agonía.

No la culpaba por haberle hablado del modo en que lo hizo. No sabía lo que decía, sus amenazas no eran más que una reacción momentánea. Ronald era culpable. No había la menor esperanza de que nadie pudiera creer lo contrario. Eso era lo que la señora Thompson no quería entender, que la única posibilidad de salvar a su hijo era elevar una protesta masiva contra la ejecución.

Al menos ella, Sharon, había tratado de salvarle. ¡Steve! ¡Oh, Steve! «¿Me entiendes ahora? ¿Lo ves claro al fin?», exclamó interiormente.

Trató de frotar las muñecas contra la pared. El cemento estaba áspero y desconchado, pero ella tenía las manos atadas de tal forma, que sólo lograba tocar el muro con los nudillos y los bordes de la mano.

Cuando *Zorro* regresara, le diría que tenía que ir al baño. No le quedaría más remedio que desatarla. Quizás entonces encontrara el modo de...

Esas fotos. Él había matado a esas tres mujeres. Sólo un loco podía hacer una fotografía a la mujer que acababa de asesinar y ampliarla a aquel tamaño.

También a ella la había fotografiado.

La bomba. ¿Y si alguien se acercaba a la habitación? Si la bomba estallaba morirían ella, Neil, y quién sabe cuántos más. ¿Qué potencia tendría?

Trató de rezar y sólo fue capaz de repetir una y otra vez: «Por favor, Señor, haz que Steve nos encuentre a tiempo. Por favor, no permitas que le arrebaten a su hijo.»

Ése debía ser también el ruego de la señora Thompson: «¡Salva a mi hijo!»

«La considero a usted responsable, señorita Martin.»

El tiempo pasaba con angustiosa lentitud. El dolor que sentía en los brazos y en las piernas se transformó de pronto en insensibilidad. Neil dormía por un auténtico milagro. A veces se despertaba y exhalaba un gemido. Jadeaba y luchaba por cobrar aliento y, al segundo, volvía a hundirse en su sueño inquieto.

Pronto sería de día. El sonido de los trenes se hacía cada vez más frecuente. ¿A qué hora abrirían la estación? ¿A las cinco? Debería ser esa hora poco más o menos.

A las ocho la terminal estaría llena de gente. ¿Qué pasaría si explotaba la bomba?

Neil se revolvió inquieto. Murmuró algo. No pudo entender. Se despertaba.

El niño trató de abrir los ojos, pero no pudo. Tenía que ir al baño. Le dolían los brazos y las piernas. Le costaba trabajo respirar. De pronto recordó lo ocurrido. Había corrido hacia la puerta diciendo: «No es nada», y había abierto. ¿Por qué había dicho aquello?

Recordó.

Sintió que la losa se movía otra vez sobre su pecho. Notó el aliento de Sharon sobre su rostro. A lo lejos sonaba un tren.

El sonido de un tren.

Y mamá. Él corría escaleras abajo.

El hombre dejaba caer al suelo a su madre y se volvía hacia él.

Pero ahora se inclinaba de nuevo sobre su mamá, sudoroso y asustado.

No.

El hombre que había abierto la puerta de un empujón la noche anterior, el que se había detenido junto a él mirándole desde su altura... No era la primera vez que lo hacía.

Se había acercado a él. Había soltado a mamá para aproximarse a él. Acercaba las manos a su garganta mirándole.

Y, de pronto, algo ocurrió.

Sonó el timbre. El timbre de la puerta principal.

El hombre huyó. Él le vio escapar.

Por eso no podía dejar de soñar con aquel día. Por lo que había olvidado... la parte que más miedo le daba, cuando el hombre se había acercado a él, y le había rodeado la garganta con las manos...

El hombre...

El hombre que había hablado con el señor Lufts.

El que había entrado la noche anterior y le había mirado.

—Sharon. —La voz de Neil sonó ahogada, sorda. Se forzó por seguir hablando a través de la espesa venda...

—Sí, Neil. Estoy aquí.

—Sharon, ese hombre. Ese hombre malo que nos ató.

—Sí, cariño. No tengas miedo. Yo te protegeré.

—Sharon, ése es el hombre que mató a mamá.

25

Su habitación. Lally *tenía* que ir a su habitación. El frío no le importaba. Dos mantas y entremedias una capa de periódicos le bastarían para abrigarse. La echaba tanto de menos. El tugurio de la Décima Avenida en que Rosie y la mayoría de sus compañeros habían dormido la mayor parte del invierno, estaba demasiado lleno. Necesitaba estar sola algún tiempo. Necesitaba su cuarto para soñar.

Años antes, cuando era joven, después de leer en el periódico las secciones de Louella Parsons y Hedda Hopper, se dormía soñando que en vez de una maestra de escuela fea y solterona era una estrella de cine que llegaba a la estación de Grand Central donde la esperaban periodistas y fotógrafos.

Se bajaba del «Twentieh Century Limited» vestida unas veces con un abrigo de zorros blanco, y otras con un traje sastre de seda, su estola de martas al brazo. La acompañaba su secretaria que llevaba el maletín con sus joyas.

Una vez soñó que asistía al estreno de su película en Broadway. Iba vestida con el traje de noche que llevaba Ginger Rogers en *Sombrero de copa*.

Con el tiempo sus sueños se disiparon y se acostumbró a ver la vida tal como era: sombría, monótona, solitaria. Pero cuando llegó a Nueva York y empezó a pasar el día entero en Grand Central... De pronto fue como si realmente viviera su apogeo de estrellato, como si no fuera ficción.

Cuando Rusty le dio la llave de aquel cuarto y ella pudo dormir en su estación oyendo el ruido de los trenes que iban y venían, sus deseos se colmaron.

A las ocho y media en punto de la mañana del martes, se dirigió al andén de Mount Vernon, situado en el nivel inferior de la terminal, cargada con sus bolsas de grueso papel marrón. Se mezclaría con los viajeros del tren de las ocho cincuenta y, aprovechando la confusión, se escurriría hacia su habitación. En la galería que conducía al «Hotel Biltmore», se detuvo en un bar de la cadena «Nedicks» y pidió un café y un par de bollos. Acababa de leer las revistas *Time* y *Newsweek* que había rescatado de una papelera.

El hombre que esperaba en la cola del mostrador donde preparaban desayunos para llevar, le resultaba vagamente conocido. ¡Vaya! ¡Pero si era el que le había estropeado el plan la noche anterior al bajar al andén de Mount Vernon con la chica del abrigo gris! Le oyó, no sin cierto rencor, pedir dos cafés, unos bollos y leche. Le siguió con mirada hostil cuando fue a pagar su cuenta. Se preguntó si trabajaría por allí. No podría decir por qué, pero hubiera jurado que no.

Cuando salió de «Nedicks», vagó sin rumbo por la estación para no despertar sospechas entre los vigilantes. Pero al fin se halló en la rampa que conducía al andén de Mount Vernon. Los pasajeros subían al tren. Los que se dirigían a la plataforma andaban apresuradamente. Satisfecha, Lally se unió a la riada humana y bajó hacia el andén. Mientras los otros subían a los vagones, ella se escurrió hacia el túnel y dobló a la derecha. Un segundo después se había escabullido del mundo exterior.

Y en aquel momento le vio. Era el hombre que acababa de comprar el café, la leche y los bollos. El hombre que había visto bajar al andén la noche anterior. Andaba de prisa, de espaldas a ella. En ese instante desaparecía en las profundidades palpitantes de la terminal.

Sólo podía dirigirse a un sitio.

A su habitación.

¡La había encontrado! Por eso había bajado a la plataforma la noche anterior.

No iba a esperar al tren. Iba a la habitación con la muchacha.

Había comprado dos cafés, leche y bollos. Ella debía estar esperándole allí.

Lágrimas de desilusión y de amargura arrasaron los ojos de Lally. Le habían robado su cuarto. Pero de pronto, su capacidad de adaptación a las contrariedades, capacidad que había practicado durante toda su vida, vino a rescatarla. Solucionaría el problema. Se desharía de ellos. Vigilaría y cuando estuviera segura de que el hombre se había ido, entraría en el cuarto y le diría a la chica que la policía sabía que estaban allí y venían a detenerlos. Eso bastaría para hacerla huir. El tipo tenía un aspecto bastante sospechoso, pero la muchacha no era de las que se veía merodeando por la estación. Probablemente estaba corriendo una aventura. Se iría más que corriendo y se lo llevaría a él.

Satisfecha ante la idea de engañar a los intrusos, Lally se volvió y se encaminó a la sala de espera del piso superior. Su imaginación voló junto a la muchacha que estaría ahora tendida en *su* catre esperando a que su novio le trajera el desayuno. «No te hagas ilusiones, señorita. Muy pronto vas a tener compañía.»

26

Steve, Hugh, los Lufts y Hank Lamont se hallaban sentados en torno a la mesa del comedor. Dora acababa de traer una cafetera llena de café recién hecho y unos bizcochos de maíz bien calientes. Steve los miró sin interés. Tenía la barbilla apoyada en la mano. La otra noche Neil le había dicho: «Siempre me dices que no ponga los codos sobre la mesa y tú lo haces todo el tiempo, papá.»

Rechazó el pensamiento. Era inútil. Tenía que concentrarse en lo que había de hacer. Estudió a Bill Lufts cuidadosamente. Era indudable que había pasado la noche consolándose con una botella. Tenía los ojos inyectados en sangre y le temblaban las manos.

Acababan de escuchar la grabación de las veinte palabras de la primera llamada telefónica. Era imposible reconocer aquella voz ahogada y difusa. Hugh se la había hecho escuchar tres veces y luego había apagado súbitamente el magnetófon.

—Bien —había dicho—. Se lo llevaremos a la señora Perry para que lo oiga tan pronto como nos avise su esposo. Veremos qué dice ella. Pero ahora es sumamente importante que dejemos bien claras unas cuantas cosas.

Consultó la lista que tenía ante él y un momento después siguió hablando.

—Primero, habrá un agente apostado en esta casa hasta que se resuelva el caso. Creo que ese hombre que se hace llamar *Zorro* es demasiado inteligente para arriesgarse a llamar aquí o a casa de los Perry. Se imaginará que hemos intervenido las líneas. Pero siempre queda una posibilidad... El señor Peterson tiene que ir a Nueva York, así que si suena el teléfono, señora Lufts, cójalo usted inmediatamente. El agente Lamont estará escuchando en el otro aparato y grabará toda la conversación. Si el secuestrador llega a llamar, no pierda usted los estribos. Trate de mantenerle en la línea lo más posible. ¿Podrá hacerlo?

—Lo intentaré —articuló Dora trémulamente.

—¿Qué han hecho con la escuela de Neil? ¿Llamaron para decir que estaba enfermo?

—Sí. A las ocho y media, tal como usted dijo.

—Bien. —Hugh se volvió hacia Steve—. ¿Habló usted con su oficina, señor Peterson?

—Sí. El presidente del consejo me recomendó que me llevara a Neil de vacaciones unos días hasta que pasara la ejecución. Le dejé recado de que iba a hacerlo.

Hugh se volvió hacia Bill Lufts.

—Señor Lufts, no quiero que salga de casa al menos hasta mañana. ¿Cree que a alguien puede parecerle extraño?

Su mujer rió irónicamente.

—Sólo a los habituales de la taberna «El Molino».

—Muy bien. Gracias a los dos.

El tono de Hugh dejaba bien a las claras que no tenía más que decirles. Los Lufts se levantaron y entraron en la cocina dejando la puerta entornada tras ellos.

Hugh se acercó y la cerró de un portazo. Miró a Steve alzando una ceja.

—Creo que los Lufts no se pierden una sola palabra de lo que se dice en esta casa —comentó.

Steve se encogió de hombros.

—Lo sé, pero desde que Bill se jubiló a principios de

año, han permanecido aquí como favor. Están deseando irse a vivir a Florida.

—¿Dice que llevan dos años a su servicio?

—Un poco más. Dora venía a limpiarnos la casa con anterioridad a la muerte de Nina. Antes de que Neil naciera venía una vez a la semana. La casa en que vivíamos antes está sólo a seis manzanas de aquí. Estaban ahorrando dinero para cuando se jubilaran. Cuando mataron a mi esposa acabábamos de mudarnos y yo necesitaba a alguien que cuidara del niño. Les dije que podían ocupar la habitación de arriba, la del tercer piso, que es muy grande. De ese modo ellos podían ahorrarse el dinero del alquiler y yo seguía dándole a Dora lo que le pagaba antes por venir a limpiar.

—¿Cómo ha resultado el arreglo?

—Bastante bien. Los dos tienen mucho cariño a Neil y ella le cuida mucho, quizá demasiado. Siempre está encima de él. Pero desde que Bill no tiene nada que hacer, se da mucho a la bebida. Sinceramente le diré que me alegraré el día que se vayan.

—¿Qué es lo que les retiene aquí? —preguntó Hugh de repente—. ¿La cuestión económica?

—No, creo que no. A Dora le gustaría mucho que yo me casara para que Neil tuviera una madre. Es muy buena mujer, de verdad.

—¿Y usted iba a casarse con Sharon Martin?

Una sonrisa helada distendió los labios de Steve.

—Eso esperaba.

Se levantó inquieto y se acercó a la ventana. Había empezado a nevar otra vez. La nieve caía blanda y silenciosamente. Pensó que tenía tanto control sobre su vida, como uno de esos copos sobre su propio destino... podían aterrizar sobre un arbusto, sobre la hierba, sobre la calzada, podía derretirse o helarse al contacto con el suelo, podía ser arrastrado, atropellado por las ruedas de un coche, aplastado por la suela de una bota...

Se sentía ligero, incapaz de concentrarse, como si flotara. Haciendo un enorme esfuerzo, atrajo su pensamiento al presente. No podía quedarse inmovilizado, impotente. Tenía que hacer algo.

—Cogeré el talonario del banco y me iré a Nueva York —dijo a Hugh.

—Un momento, señor Peterson. Tenemos que decidir unas cuantas cosas.

Steve esperó.

—¿Qué va a hacer si no recibe la grabación de Sharon y su hijo?

—Me prometió...

—Puede que no le sea posible cumplir su promesa. ¿Cómo va a arreglárselas para hacer que usted la reciba? Eso suponiendo que quiera mandarla. Mi pregunta es, ¿está usted dispuesto a pagar el rescate sin pruebas?

Steve meditó un momento.

—Sí. No quiero correr el riesgo de provocar su irritación. Es posible que deje la casete o la cinta en algún lugar donde nadie la encuentre y si yo no le pago...

—Bien. Esa posibilidad la discutiremos más adelante. Si la grabación no ha llegado antes de las dos de la madrugada, cuando le llame al teléfono público de la Calle 59 puede usted intentar retrasar el encuentro. Puede decirle que no la ha recibido y si él afirma que la ha dejado en algún sitio, puede pedirle tiempo para ir a recogerla. Pero ahora pasemos al tema siguiente. ¿Va a darle el dinero en efectivo? Podría pagarle con dinero falso que después sería muy fácil de rastrear.

—Me niego a correr ese riesgo. Ese dinero que tengo en el banco estaba destinado a los estudios de Neil. Si algo le ocurriera al niño...

—Bien. Entonces sáquelo de la cuenta y llévelo al Banco Federal. Que le den un cheque. Unos agentes del FBI fotografiarán allí los billetes del rescate. Así al menos tendremos algún dato.

Steve le interrumpió.

—No quiero que marquen el dinero.

—No he dicho que vayan a *marcarlo*. No hay forma posible de que el secuestrador llegue a saber que el dinero ha sido *fotografiado*. Pero la operación llevará tiempo. Ochenta y dos mil dólares en billetes de diez, veinte y cincuenta suponen un montón de billetes.

—Lo sé.

—Señor Peterson, tengo que rogarle que tome unas cuantas precauciones. Primero, permítanos que montemos unas máquinas fotográficas en su automóvil. De ese modo tendremos alguna pista después de su encuentro con el secuestrador. Una fotografía de él o de la matrícula del coche que conduzca. También instalar en su automóvil un instrumento electrónico que emita una señal que nos permita seguirle a cierta distancia. Le prometo que el secuestrador no podrá detectarla. Por último, y esto depende únicamente de su decisión, nos gustaría ocultar otro instrumento electrónico en la maleta en que vaya a entregarle el dinero.

—Suponga que lo encuentre. Se dará cuenta de que he avisado a la policía.

—Suponga que *no* lo ponemos y que no vuelve a saber del secuestrador. Habrá pagado el rescate y no tendrá ni a su hijo ni a Sharon. Créame, señor Peterson, nuestra intención es devolvérselos a usted sanos y salvos. Una vez conseguido este propósito, nos dedicaremos a buscar a los delincuentes. Pero, como le digo, la decisión le corresponde a usted.

—¿Qué haría usted si se tratara de su hijo y de... su esposa?

—Señor Peterson, no tratamos con gente honorable. No crea que todo consiste en entregar el dinero y recibir a cambio a las víctimas del secuestro. No es tan sencillo. *Es posible* que los suelte. No lo niego. Pero puede también abandonarlos en algún lugar en que no puedan liberarse por sí mismos. Tenemos que tener en cuenta todas las posibilidades. Al menos, si nos es posible seguir al secuestrador por medio de uno de esos aparatos electrónicos, podremos reducir los límites de nuestro campo de acción.

Steve se encogió de hombros, impotente.

—Haga lo que tenga que hacer. Me iré a Nueva York en el coche de Bill.

—No. Quiero que vaya en el suyo y lo deje en el aparcamiento de la estación como de costumbre. Es muy posible que le estén vigilando. Haremos que le siga de lejos un agente. Deje las llaves en el suelo del automóvil. Nosotros las recogeremos e instalaremos los aparatos. Cuando usted vuelva de Nueva York, lo encontrará donde lo dejó. Ahora le diré adónde tiene que ir con el dinero...

Steve se dispuso a tomar el tren de las diez cuarenta con destino a Grand Central. Llegó con diez minutos de retraso y no arribó a Nueva York hasta las once cincuenta. Una vez fuera de la terminal, echó a andar en dirección a la avenida Park con una maleta vacía en la mano.

La sensación de angustia y de tristeza que hacía horas experimentaba se agudizó conforme recorría las manzanas que separaban la estación de la Calle 51. En este segundo día de nieve, los neoyorquinos transitaban por las calles como de costumbre mostrando su habitual resistencia a los elementos. Se notaba incluso una cierta euforia en el modo en que pisaban las aceras heladas, en la forma en que evitaban los remolinos de nieve. La mañana anterior, él y Sharon se habían detenido sobre la acera nevada a poca distancia de allí. Él había posado una mano sobre el rostro de la muchacha y la había despedido con un beso. Los labios de Sharon no habían respondido a su caricia, como tampoco respondieron los suyos a la caricia de Nina la última vez que ésta le besara.

Al fin llegó al Banco. La noticia de que quería retirar los fondos de la cuenta de Neil, a excepción de doscientos dólares, fue recibida con la más absoluta frialdad. El empleado abandonó su puesto para ir a consultar al director de la sucursal que se acercó a Steve apresuradamente:

—Señor Peterson, ¿ocurre algo?

—No, señor Strauss. Sólo quiero retirar cierta cantidad.

—Tendré que pedirle que llene unos impresos para el Estado y el gobierno federal. Nos lo exigen cuando se trata de cantidades tan elevadas. Espero que esto no implique una queja con respecto a nuestros servicios.

Steve luchó por conservar la calma en su tono y expresión.

—En absoluto.

—Muy bien. —La voz del encargado adquirió un frío tono profesional—. Puede llenar los formularios en mi despacho. Sígame, por favor.

Steve rellenó los impresos de forma puramente mecánica. Cuando acabó, el cajero tenía ya el cheque preparado.

El señor Strauss lo firmó rápidamente, se lo entregó, y se levantó. Su expresión era meditabunda.

—No considere usted una intromisión en sus asuntos personales lo que voy a decirle, pero espero que no se halle usted en ninguna dificultad, señor Peterson. ¿Puedo ayudarle en algo?

Steve se levantó.

—No, no. Gracias, señor Strauss.

Su voz sonaba en sus propios oídos tensa, poco convincente.

—Me alegro. Le apreciamos mucho, como cliente y como amigo. Si tiene usted alguna dificultad y podemos ayudarle en algo, no dude en darnos la oportunidad de servirle.

Le tendió la mano. Steve se la estrechó.

—Es usted muy amable, pero no ocurre nada. Se lo aseguro.

Salió con la maleta en la mano, paró un taxi y se dirigió al Banco Federal. Allí le condujeron a una sala donde unos cuantos agentes del FBI contaban y fotografiaban con expresión sombría el dinero que iban a entregarle a cambio del cheque que traía. Les contempló sin darse exacta cuenta de lo que hacía.

«El rey contaba su dinero, en la tesorería.» La canción de cuna acudió a su pensamiento. Nina solía canturreársela a Neil mientras le ponía el pijama.

Volvió a «Grand Central.» El tren de las tres y cinco acababa de partir. El siguiente no saldría hasta dentro de una hora. Llamó a casa. Dora contestó al teléfono y el agente Lamont habló desde el otro aparato. No había nada nuevo. Ni rastro de la casete. Hugh Taylor estaría de vuelta para cuando él llegara.

La perspectiva de una hora de espera le horrorizaba.

Le dolía la cabeza. Era un dolor lento, sordo, que partía del centro de la frente y volvía a reunirse en la nuca después de dar vuelta a la cabeza como una arandela cada vez más tensa. De pronto cayó en la cuenta de que no había probado bocado desde el almuerzo del día anterior.

«La Ostrería». Entraría y tomaría una sopa de ostras y una copa. Pasó junto al teléfono desde el que había llamado a Sharon la noche anterior. Allí había comenzado la pesadilla. Cuando nadie respondió a su llamada, supo que algo malo sucedía. Sólo habían transcurrido veinte horas desde entonces y parecía toda una vida.

Veinte horas. ¿Dónde estarían Sharon y Neil? ¿Les habrían dado algo de comer? Hacía tanto frío… ¿Habría calefacción en el lugar donde estuvieran? Sharon cuidaría de Neil si pudiera, de eso estaba seguro. ¿Y si Sharon hubiera contestado a su llamada la noche anterior? ¿Y si los tres hubieran pasado la velada como él había planeado? Una vez que Neil se hubiera acostado, él habría hablado a Sharon. «Sé que no puedo ofrecerte mucho —le habría dicho—. Saldrás ganando si esperas, pero no esperes. Cásate conmigo. Seremos felices juntos.»

Probablemente ella le habría rechazado. Despreciaba la actitud que él había adoptado con respecto a la pena capital. Su postura era rígida, inflexible. Estaba seguro de poseer la verdad.

¿Sentiría en este momento la madre de Ronald Thompson lo mismo que él sentía?

Aún después de que su hijo muriera, ella seguiría sufriendo toda su vida.

Como seguiría sufriendo él si algo les ocurría a Sharon y a Neil.

El ritmo de la terminal se aceleraba. Los ejecutivos que salían temprano de sus oficinas para evitar las aglomeraciones de la hora punta, caminaban presurosos hacia los trenes de New Haven que habían de conducirles a Westchester y Connecticut. Las mujeres que habían venido de compras a Nueva York, consultaban los horarios ansiosas de llegar a casa a tiempo de hacer la cena.

Steve descendió las escaleras que conducían a la plan-

131

ta inferior y entró en «La Ostrería». El restaurante estaba casi vacío. La hora del almuerzo había pasado hacía tiempo y aún era pronto para los aperitivos y la cena. Se sentó en la barra poniendo el pie derecho sobre la maleta y pidió al camarero lo que iba a tomar.

El mes pasado, él y Sharon se habían encontrado allí para comer. Ella estaba eufórica aquel día. Su campaña para que la sentencia de Thompson fuera conmutada, estaba hallando una calurosa acogida.

—Lo conseguiremos, Steve —le había dicho confiada. Estaba tan contenta. Aquel asunto era muy importante para ella. Le habló con entusiasmo del viaje que pensaba emprender para lograr mayor apoyo.

—Te echaré de menos —le había dicho él.

—Yo también a ti.

—Te quiero, Sharon. Te quiero, Sharon. Te quiero, Sharon.

«¿Se lo dije aquel día?», se preguntó.

Apuró de un trago el «Martini» que el camarero puso en la barra ante él.

Permaneció sentado en «La Ostrería» sin probar bocado hasta las cuatro menos cinco, hora en que pagó la cuenta y se dirigió al andén de donde partía el tren para Carley. No reparó en que en el momento en que entró en el vagón de fumadores un hombre sentado en el último asiento ocultó su rostro tras el periódico que iba leyendo. Cuando hubo pasado, el periódico bajó unos milímetros y unos ojos brillantes le siguieron mientras avanzaba por el pasillo con la maleta en la mano.

Ese mismo pasajero se bajó también en Carley, pero esperó cautelosamente en el andén hasta que Steve entró en el aparcamiento y desapareció en el interior del automóvil que ahora iba equipado con unas máquinas fotográficas cuidadosamente ocultas tras los faros y el espejo retrovisor.

27

Glenda Perry durmió hasta la una en punto. El ruido que hizo el coche de Marian al salir de la avenida del garaje a la calle, la despertó totalmente. Antes de abrir los ojos permaneció perfectamente inmóvil, esperando. Pero el dolor que solía acompañar el primer movimiento del día, no llegó. Había sido tan fuerte durante la noche... Peor de lo que le había dicho a Roger. Aunque él probablemente lo adivinaba. El médico estaba muy preocupado por el último cardiograma.

Pero *de ningún modo* iría al hospital. Le darían tal cantidad de calmantes que la dejarían totalmente inutilizada. Y eso no podía permitirlo. Sabía por qué los dolores habían sido tan fuertes últimamente. Por la ejecución de Ronald Thompson. Era un chico tan joven... Y su testimonio había contribuido a la condena.

—¿La tiró al suelo, señora Perry?

—Sí. Salía corriendo de la casa.

—Pero era de noche, señora Perry. ¿Está segura de que fue él?

—Completamente. Dudó un segundo en la puerta antes de chocar conmigo. La luz de la cocina estaba encendida.

Y ahora Neil y Sharon. «¡Dios mío! ¡Haz que recuerde! ¡Que recuerde esa voz!» Se mordió el labio inferior... Un destello de dolor... «No te preocupes. No te servirá de nada. ¡Por todo lo que más quieras, piensa!», se dijo. Se introdujo una pastilla bajo la lengua. Aminoraría el dolor antes de que se agudizara. *Zorro.* Esa palabra, el modo en que la había pronunciado, le había recordado algo. ¿Con qué la había asociado? Con algo sucedido no hacía mucho tiempo.

La puerta se entreabrió y vio a Roger que la miraba.

—Pasa, cariño. Estoy despierta.

—¿Cómo te encuentras?

Roger se acercó a la cama y posó una mano sobre las de su esposa.

—No estoy mal. ¿Cuánto tiempo he dormido?

—Más de cuatro horas.

—¿Quién acaba de irse?

—La señora Vogler.

—Me había olvidado de ella. ¿Qué ha hecho?

—Ha estado muy ocupada en la cocina. La he visto subida en la escalera bajando cosas de lo alto de los armarios.

—Gracias a Dios. Me daba miedo subirme allá arriba y todo eso está lleno de polvo. Roger, ¿qué ha ocurrido? ¿Habló Steve con *Zorro?*

Roger le explicó lo sucedido:

—...así que sólo cruzaron unas cuantas palabras. ¿Te encuentras con fuerzas para escucharlas?

—Sí.

Quince minutos después, apoyada la espalda en unos cojines y con una taza de té en la mano, Glenda veía a Hugh Taylor entrar en la habitación.

—Se lo agradezco mucho, señora Perry. Sé que esto representa un gran esfuerzo para usted.

Ella rechazó la idea con un movimiento de la mano.

—Señor Taylor, estoy avergonzada. Le he hecho perder toda la mañana. Por favor, déjemelo escuchar.

Oyó atentamente la casete.

—Suena tan baja la voz... Es imposible.

La tensa expresión de esperanza que había iluminado el rostro de Hugh, se disipó. Cuando habló, lo hizo con voz neutra.

—Muchas gracias por escucharla, señora Perry. Vamos a analizar el tipo de voz. No constituirá una prueba admisible, pero una vez que detengamos al secuestrador, al menos servirá para confirmar su identificación.

Cogió la grabadora.

—No. Espere.

Glenda puso la mano sobre el aparato.

—¿Es ésta la única grabación que ha hecho de la llamada?

—No. Tenemos una casete y una cinta.

—¿Podría dejarme la casete?

—¿Para qué?

—Sé que conozco al hombre con quien hablé anoche. Le conozco. Voy a tratar de recordar paso por paso lo que he hecho durante las dos últimas semanas. Si logro acordarme de algo importante me será muy conveniente oír la voz otra vez.

—Señora Perry, si pudiera usted recordar...

Hugh se mordió los labios cuando Perry le dirigió una mirada de advertencia. Al momento abandonaba la habitación seguido de Roger.

Cuando ambos se hallaban ya en el piso de abajo, Perry habló.

—¿Por qué decidió que la señora Vogler se quedara aquí hoy? No sospechará usted...

—No podemos dejar ninguna posibilidad sin estudiar. Creo que no tiene nada que ver con el caso. Parece una mujer de buen carácter. Su situación familiar es buena, está bien considerada por todos... Creo que ha sido sólo una coincidencia que mencionara a Neil esta mañana. En cualquier caso, la mejor coartada de todos los posibles implicados en el caso es la de este matrimonio.

—¿Cómo es eso?

—La cajera del cine recuerda haberla visto entrar y salir del local. A su marido lo vieron los vecinos en casa con sus hijos. Y poco después de las siete, ambos estaban en la comisaría de Policía denunciando el robo de su automóvil.

—¡Ah, sí! Algo me dijo de eso. Por suerte lo encontraron.

—Sí. Encontramos un cacharro viejo como ese, y no somos capaces de hallar una sola pista de las víctimas de un secuestro. Señor Perry, ¿qué impresión tiene usted de Sharon Martin? ¿Cree que podría ser capaz de planear una cosa así?

Roger meditó la pregunta.

—Mi instinto me dice que no.

—¿Qué opina usted de la relación que une a la muchacha con el señor Peterson?

Roger pensó en la última vez que Steve y Sharon les habían visitado. Ella parecía un poco deprimida y Glenda le preguntó qué le sucedía. En un momento en que Steve se fue a la cocina a buscar hielo, Sharon le contestó: «No es nada importante. Pero me preocupa que Neil me rechace.»

Cuando Steve pasó junto a la muchacha al volver de la cocina, le revolvió cariñosamente el pelo. Roger recordó la expresión de aquellos dos rostros.

—Creo que están muy enamorados. Más de lo que ambos se imaginan. Creo que a Sharon le preocupa la actitud de Neil, y naturalmente a Steve también. Por otra parte, él está pasando en estos momentos por una situación económica difícil. Invirtió todo lo que tenía en la revista *Events*. Estoy seguro de que lo recuperará con creces, pero hasta ahora el asunto le ha tenido preocupado. Él mismo me lo ha dicho.

—Y luego la ejecución de Ronald Thompson.

—Sí. Mi mujer y yo teníamos esperanzas de que Sharon consiguiera salvarle. Glenda está destrozada por su participación en el caso.

—¿Quería Sharon que el señor Peterson intercediera junto a la gobernadora?

—Creo que al final se dio cuenta de que no iba a hacerlo y de que la gobernadora no iba a aceptar un llamamiento puramente emocional. No olvide que la han criticado mucho por haber concedido a Thompson dos suspensiones de la sentencia.

—Señor Perry, ¿qué opina usted de los Lufts? ¿Cree posible que puedan tener algo que ver con el caso? Están tratando de ahorrar dinero y sabían su número de teléfono. Es muy posible también que estuvieran al tanto de la existencia de la cuenta bancaria de Neil.

Roger negó con la cabeza.

—Imposible. Cuando Dora le trae algo a Glenda del mercado, se pasa veinte minutos asegurándose de que da el cambio exacto. Y él es igual. A veces lleva mi coche al mecánico y luego viene presumiendo de cuánto dinero me ha ahorrado. Puedo asegurarle que ambos son honrados hasta la exageración.

—Muy bien. Sé que usted nos llamará a casa del señor Peterson si su esposa tiene algo que comunicarnos.

Hank Lamont esperaba ansioso la llegada de Hugh. Algo en su expresión delataba que tenía noticias frescas. Hugh no perdió el tiempo con preliminares.

—¿Qué pasa?

—La señora Thompson...

—¿Qué hay de ella?

—Anoche. Habló con Sharon Martin.

—¿Qué?

—Nos lo ha contado Ronald, su hijo. Don y Stan le interrogaron en su celda. Le dijeron que habían amenazado al hijo de Peterson y le advirtieron que si era obra de sus amigos, era mejor que nos diera sus nombres antes de que se metieran en un buen lío.

—No le dirían que habían secuestrado a Sharon y a Neil...

—Claro que no.

—¿Qué dijo él?

—No tiene nada que ver con el asunto. Las únicas visitas que ha recibido durante todo el año han sido las de su madre, su abogado y su párroco. Sus amigos íntimos del colegio estudian ahora en la Universidad. Nos dio sus nombres. Todos están fuera de la ciudad. Pero sí nos dijo que Sharon llamó a su madre.

—¿Han hablado con la señora Thompson?

—Sí. Se aloja en un motel muy cerca de la prisión. La encontraron.

—¿En el motel?

—No, en la iglesia. Pobre mujer. Estaba allí arrodillada, rezando. No puede creer que vayan a ejecutar a su hijo mañana. Se niega a creerlo. Dice que Sharon la llamó pocos minutos antes de las seis. Quería saber si podía hacer algo por ella. La señora Thompson admite que perdió el control, que la culpó de recorrer todo el país pregonando que su hijo era culpable. Le dijo que no le respondía de lo que pudiera hacerle si su hijo moría. ¿Qué opina usted?

—Vamos a ver —dijo Hugh—. Supongamos que Sharon Martin se asusta con la llamada, cree que la madre de Thompson va a hacer lo que le ha dicho, desesperada llama a alguien para que les recoja al niño y a ella. Planea un golpe de enorme efecto. Hace pasar su desaparición por un secuestro y retiene después a Neil como rehén por la vida de Thompson.

—Es una posibilidad —dijo Hank.

El rostro de Hugh se endureció.

—Creo que es más que una posibilidad. Creo que este pobre hombre, Peterson, está pasando las moradas y que la señora Perry está a punto de tener una trombosis sólo porque Sharon Martin se cree que puede manipular a su antojo la justicia.

—¿Qué hacemos ahora?

—Continuaremos como si se tratara de un auténtico secuestro. Averiguaremos lo que podamos acerca de los colegas y amigos de Sharon Martin, especialmente de los que vivan por esta zona. Si la señora Perry pudiera recordar dónde ha oído esa voz, descubriríamos todo el pastel.

En su habitación, Glenda escuchaba la casete una y otra vez. «¿Peterson? Le llamaré dentro de diez minutos al teléfono público de la gasolinera que hay nada más pasar la salida veintiuno.» Meneó la cabeza y apagó el magnetofón con un gesto de impotencia. Así no llegaría a ninguna parte. Tenía que recordar paso a paso lo que había hecho durante las dos últimas semanas. En aquella cassette había algo, ¿qué era?

El día anterior no había salido de casa. Había hablado primero con la farmacia y luego con Agnes y Julie acerca de la función a beneficio del hospital. Chip y Marian habían llamado desde California y su nieto se había puesto al teléfono. Aquella fue la última vez que usó el teléfono hasta que llamó *Zorro*.

El domingo había ido a Nueva York con Roger después de salir de la iglesia. Habían tomado un desayuno-almuerzo en Pierre y habían ido después al «Carnegie Hall» a oír a Serkin. Aquel día no habló con nadie por teléfono.

El sábado fue a ver al tapicero para lo de las fundas de los sillones y luego a la peluquería, ¿o fue el viernes? Movió la cabeza impaciente. Así no había forma. Ese no era el modo de recordar sistemáticamente. Bajó de la cama, se acercó a su escritorio y sacó su agenda. Le diría a Roger que le trajera también el calendario de la cocina. A veces escribía en él algunas notas. Consultaría también los recibos de las compras que había hecho durante esos días. Los guardaba todos juntos y estaban fechados. Le ayudarían a recordar dónde había estado. Y el talonario de cheques. Sacó éste de un compartimento del escritorio y los recibos de uno de los cajones.

Volvió a la cama con todo ello suspirando en un momento en que la presión que sentía en el pecho se convirtió en un dolor agudo.

Cogió una tableta de nitroglicerina, apretó el botón que ponía en marcha el magnetofón y escuchó de nuevo la cassette. El ronco susurro sonó de nuevo en sus oídos. «¿Peterson? Le llamaré dentro de diez minutos al teléfono público de la gasolinera que hay nada más pasar la salida veintiuno.»

28

Al salir de la cabina telefónica pensó en la cassette que grabara las voces de Sharon y del niño, ¿debía hacerlo? «¿Por qué no?», se dijo.

Se encaminó directamente a Grand Central. Era mejor ir ahora, cuando había muchos pasajeros. Los policías de la terminal tenían un sexto sentido.

Sharon y el niño probablemente no habían cenado el día anterior. Debían tener hambre. No quería que Sharon sufriera, pero sabía que ella no comería si no le daba también al chico. Pensar en Neil le ponía nervioso. Hacía un par de semanas había sentido verdadero pánico al levantar la vista y encontrarse con los ojos infantiles que le contemplaban desde el coche. Aquellos ojos castaños, de pupilas tan grandes que parecían negros, le miraban igual que en sus sueños. Acusadores, siempre acusadores...

Mañana todo habría pasado. Tendría que comprar un billete de avión para Sharon. Ahora no tenía bastante dinero, pero a partir de esta noche no tendría que preocuparse más por eso. Haría la reserva. Pero, ¿qué nombre utilizaría? Tendría que inventarse uno para ella.

Ayer mismo, en el programa «Hoy» la habían presentado como escritora y periodista. Era muy conocida entre el público.

Por eso le parecía aún más maravilloso que estuviera tan enamorada de él.

Había sido invitada en el programa «Hoy».

Mucha gente la reconocería.

Frunciendo el ceño se detuvo en seco. La mujer que le seguía apresuradamente, tropezó con él. La miró indignado. «Perdone» dijo ella, y continuó andando a toda prisa. Respiró. Se le notaba que no había querido ser grosera. De hecho le había dirigido una sonrisa, una sonrisa sincera. Muchas mujeres le sonreirían cuando supiera que era rico. Siguió lentamente a lo largo de la avenida Lexington. El tráfico había convertido la nieve en una masa sucia de color marrón. Se había helado toda excepto la que quedaba directamente bajo las ruedas de los autobuses y de los coches. Ojalá pudiera ir ahora al Biltmore. El cuarto que tenía allí era tan confortable... Nunca había estado en un hotel así.

Se quedaría con Sharon y con el niño hasta la tarde. Luego tomaría el tren a Carley. Pasaría por casa para ver si tenía algún recado. No quería que nadie se preguntara qué había sido de él. Se esforzó por pensar dónde podría dejar la cassette. Era posible que Peterson se negara a pagar el rescate si no la recibía.

Tenía que conseguir ese dinero. Ahora le resultaba

demasiado peligroso quedarse en el condado de Fairfield. Además tenía una buena coartada. Todos sabían que iba a marcharse.

—¿Alguien de por aquí ha desaparecido de pronto? —preguntaría la Policía.

—¿Él? No. Precisamente se ha quejado mucho de que le echaran del local. Le rogó repetidas veces al casero que le renovara el contrato.

Pero eso había sido antes de la muerte de las dos chicas. «El asesino de la banda civil», le llamaban los periódicos. Si supieran...

Hasta había asistido al funeral de Bárbara Callahan. ¡Nada menos que al funeral!

De pronto cayó en la cuenta de cuál era el sitio más indicado para dejar la cassette. Un lugar donde la encontrarían con toda seguridad y la entregarían al destinatario.

Satisfecho, entró en Nedicks y pidió café, leche y unos bollos. Les daría algo de comer ahora y otra vez luego, antes de irse. No quería que Sharon le juzgara cruel.

Cuando se apartó de la vía del tren de Mount Vernon, tuvo la clara sensación de que alguien le observaba. Tenía muy buen instinto para estas cosas. Se detuvo y escuchó. Creyó oír algo y volvió atrás de puntillas. Era sólo una de esas viejecitas que pululaban por la estación cargadas con sus bolsas. Subía la rampa hacia la terminal. Probablemente había dormido en el andén.

Con infinito cuidado desprendió el cable que había pegado con cinta adhesiva a la puerta de la habitación. Sacó la llave del bolsillo y la introdujo en la cerradura. Abrió milímetro a milímetro para no mover el cable, se deslizó al interior de la habitación y cerró la puerta.

Encendió los tubos de luz fluorescente y dio un gruñido de satisfacción. Sharon y el niño seguían tal y como él les había dejado. Neil, naturalmente, no podía ver nada a través de la venda que le cubría los ojos, pero tras él, Sharon levantó la cabeza. Dejó el paquete en el suelo, se acercó a ella presuroso y le arrancó la mordaza que le cubría la boca.

—Esta vez no estaba muy apretada —le dijo.

Le había parecido ver una mirada de reproche en sus ojos.

—No.

La encontró muy nerviosa, nerviosa de un modo distinto al de antes. Le miraba con expresión aterrada. No quería que tuviera miedo de él.

—¿Tienes miedo, Sharon? —le dijo con una voz estremecedoramente suave.

—No... En absoluto.

—Te traigo algo de comer.

—¡Qué bien! ¿Quieres quitarle la mordaza a Neil, por favor? Y desátanos. Aunque sea sólo las manos, como antes...

Frunció el ceño. La notaba distinta.

—Claro, que sí, Sharon.

Frotó la nariz contra el rostro de la muchacha. Tenía una gran fuerza en los dedos y pudo deshacer los nudos con suma facilidad. Al minuto siguiente las manos de la muchacha estaban libres y él se disponía a desatar al niño. Éste se apretó contra Sharon.

—No temas, Neil —dijo ella—. Recuerda lo que te dije.

—¿Qué le dijiste, Sharon?

—Que su papá va a darte el dinero que le has pedido y que mañana le dirás dónde puede encontrarle. Le he dicho que yo me iré contigo, pero que su padre vendrá a buscarle muy poco después de que nosotros nos hayamos ido. ¿No es verdad?

Hablaba con voz cautelosa, pensativos los ojos brillantes.

—¿Estás segura de que quieres venir conmigo, Sharon?

—Sí, claro que sí... Me gustas mucho, *Zorro*.

—Os he traído bollos, café y leche.

—Eres muy amable.

Sharon flexionó los dedos. La vio frotar las muñecas de Neil y apartarle unos mechones de pelo que le caían sobre la frente. Advirtió después que apretaba las manos del niño entre las suyas como si le recordara una señal, un pacto secreto.

Acercó al catre el cajón de naranjas y depositó sobre él la bolsa de papel. Alargó a Sharon un vaso de cartón lleno de café.

—Gracias. —Ella lo puso sobre el suelo sin probar un sorbo siquiera—. ¿Dónde está la leche de Neil?

Él le alargó otro vaso que ella colocó entre las manos del niño.

—Toma, aquí tienes. Bebe despacio.

La respiración de Neil era áspera, ronca, irritante. Le traía recuerdos a la memoria.

Sacó los bollos de la bolsa. Había pedido que les pusieran mucha mantequilla, como a él le gustaban. Sharon cogió uno de ellos, lo partió y le dio un pedazo al niño.

—Toma, Neil, come.

Le hablaba en tono tranquilizador, como si los dos hubieran tramado alguna conspiración contra él.

Les miró con expresión sombría. Se tomó el café de un trago, casi sin saborearlo. Entre Sharon y Neil se comieron un bollo y bebieron el café y la leche.

Él no se había quitado el abrigo. Hacía mucho frío en aquella habitación y además no quería mancharse el traje. Cogió la bolsa de papel, la dejó en el suelo, se sentó en el cajón y les contempló.

Cuando acabaron de comer, Sharon sentó a Neil en su regazo. El niño seguía respirando con fatiga, ruidosamente. El sonido le irritaba a *Zorro*, le enervaba. Sharon no le miraba. Frotaba suavemente la espalda de Neil mientras le hablaba con cariño, diciéndole que tratara de dormir. La vio besar la frente del niño, apoyar la cabeza infantil en su hombro.

Era buena y probablemente sólo quería tranquilizarle. Podía eliminar al chico ahora y dejar que empezara a mostrarse un poco cariñosa con él. La expresión de su rostro cambió. Una débil sonrisa se dibujó en sus labios y empezó a pensar en los distintos modos en que Sharon podía demostrarle su amor. Su cuerpo se inundó de calor anticipándose al placer. Se dio cuenta de que la muchacha le miraba y vio que sus brazos se apretaban en torno al cuerpo del niño. Deseó que esos mismos brazos le rodearan a él.

Se levantó y avanzó hacia el catre. Al hacerlo, tropezó contra el magnetofón. ¡El magnetofón! La casete que Peterson le había pedido. Era demasiado pronto para matar al niño. Furioso y desilusionado, volvió a sentarse.

—Ahora voy a grabar tu voz para Peterson —le dijo a Sharon.

—¿Vas a grabarla?

Estaba tensa y nerviosa. Hacía un segundo hubiera jurado que iba a hacerles algo. Había notado algo en la forma en que les miraba, en la expresión de su rostro. Trató de pensar. ¿Habría algún modo de escapar? Desde que Neil le había dicho que aquel hombre era el asesino de su madre, pensaba frenéticamente en el modo de escapar de allí. Mañana por la noche podía ser demasiado tarde para Ronald Thompson y para el niño. No sabía a qué hora pensaba *Zorro* venir a recogerla, si es que realmente llegaba a hacerlo. Algo tramaba aquel hombre. El recuerdo de su campaña por salvar a Ronald la torturaba. La madre del chico había tenido razón. Al insistir en su culpabilidad había contribuido a que le condenaran. Ahora no le importaba nada más que salvar la vida de Neil e impedir que ejecutaran a Thompson. A costa de lo que pudiera sucederle a ella. Fuera lo que fuese, se lo tenía merecido. Y pensar que había tenido la osadía de decirle a Steve que asumía el papel de Dios...

Zorro tenía una pistola. La llevaba en el bolsillo del abrigo. Si pudiera conseguir que la abrazara, se la sacaría.

Si lo lograba, ¿sería capaz de matarle?

Miró a Neil, pensó en el condenado a muerte que esperaba la hora final en su celda... Sí. Podría matarle.

Le vio manejar el magnetofón con manos expertas. En este momento insertaba la casete. Se trataba de un modelo TWZ, de esas que se vendían en todas partes. Imposible que pudiera constituir una pista. Ahora acercaba el cajón de naranjas al catre.

—Toma, Sharon. Lee esto.

Le alargó un papel en el que había escrito el siguiente mensaje: «Steve, si quieres volver a vernos vivos, paga el rescate. El dinero, ochenta y dos mil dólares, debe ir en billetes de diez, veinte y cincuenta. No dejes de entregárselo y no permitas que lo marquen. Acude a la cabina telefónica de la esquina de la Calle 59 y la avenida Lexington a las dos de la madrugada. Ve solo y no llames a la Policía.»

Le miró.

—¿Puedo añadir algo más? Verás, nos peleamos y rompimos. Es muy posible que si no le pido perdón no quiera pagar más que el rescate de su hijo. No sabes lo testarudo que es. Es capaz de darte sólo la mitad del dinero, lo de Neil. Porque sabe que no le quiero. Pero nosotros necesitamos todo el dinero, ¿no?

—¿Qué quieres decir, Sharon?

¿Estaría jugando con ella? ¿De verdad la creería?

—Unas palabras de disculpa, eso es todo.

Trató de sonreír. Dejó a Neil sentado sobre el catre, se acercó a *Zorro* y le acarició la mano.

—No quiero trucos, Sharon.

—¿Por qué iba a engañarte? ¿Qué quieres que diga Neil?

—Sólo que quiere volver a casa. Nada más.

Tenía un dedo posado sobre el mando del magnetófono correspondiente a la grabación.

—Cuando apriete, empieza a hablar. El micrófono está empotrado en el aparato.

Sharon tragó saliva. La cinta comenzó a girar.

—Steve...

Leyó el mensaje tratando de ahorrar tiempo, tratando de pensar qué diría después. Acabó de leer:

—... no llames a la Policía.

Se detuvo. Él la miraba atentamente.

—Steve. —Tenía que comenzar ya—. Steve, ahora va a hablarte Neil. Pero primero quiero decirte que me equivoqué. Espero que puedas perdonarme.

Se oyó el clic del magnetofón en el momento en que iba a decir: «He cometido un tremendo error...»

—Basta, Sharon. Con esto basta para disculparte.

Luego señaló al niño. Sharon rodeó los hombros de Neil con un brazo.

—Vamos —le dijo—, di algo a tu papá.

El esfuerzo que hizo el niño por hablar, acentuó el silbido de su respiración.

—Papá, estoy bien. Sharon me está cuidando. Pero a mamá no le gustaría verme aquí.

La cinta se detuvo de nuevo. *Neil había intentado enviar un mensaje a Steve,* había tratado de conectar su secuestro con la muerte de su madre. El hombre hizo retroceder la cinta y escuchó el mensaje. Al acabar, dirigió a Sharon una sonrisa.

—Muy bien. Si yo fuera Peterson, pagaría por rescatarte.

¿Estaría tendiéndole *Zorro* una trampa deliberadamente?

—Sharon. —Neil buscó la manga de la muchacha y tiró de ella—. Tengo que...

—¿Quieres ir al baño, chico? —dijo *Zorro* con desenvoltura—. Es lo natural después de todo este tiempo.

Se acercó a Neil, le cogió en brazos, entró al baño con él, y cerró la puerta. Sharon esperó su regreso aterrada, pero al poco tiempo le vio volver llevando al niño bajo el brazo. Se dio cuenta de que le llevaba con la cara vuelta hacia el otro lado, como si temiera que Neil pudiera ver a través de la venda que cubría sus ojos. Dejó al niño en el catre.

El chiquillo temblaba.

—Sharon.

—Estoy aquí.

Le acarició suavemente la espalda.

—¿Quieres ir tú? —el secuestrador se dirigía ahora a ella señalando al baño con la cabeza.

—Sí.

La cogió del brazo y la condujo hasta el húmedo cubículo. Las cuerdas se le clavaban en las piernas y en los bolsillos obligándola a doblarse de dolor.

—Hay pestillo, Sharon —dijo *Zorro*—. Te dejo que lo corras mientras estás ahí dentro porque si no la puerta se abre. Pero te aconsejo por tu bien que salgas cuanto antes. —Su mano acarició la mejilla femenina—. No me hagas enfadar porque me cargo al chico ahora mismo.

Salió cerrando la puerta tras él.

Sharon echó el pestillo precipitadamente y miró en torno suyo. Sumida en la oscuridad que reinaba en el pequeño cubículo, tanteó con las manos la pared y el depósito del inodoro. Quizá pudiera encontrar algo. Un trozo de cañería, un objeto cualquiera puntiagudo... Tanteó también el suelo.

—Date prisa, Sharon.

—Ya voy.

Cuando abría la puerta sintió que el picaporte se aflojaba bajo la presión de su mano. Inmediatamente trató de hacerlo girar. Si pudiera desprenderlo totalmente se lo metería en el bolsillo de la falda. Quizá tuviera algún reborde agudo... Pero no podía sacarlo.

—¡Sal de ahí!

La voz del hombre revelaba de nuevo nerviosismo. Sharon abrió, quiso salir, tropezó y se aferró al marco de la puerta. Él se acercó. Deliberadamente, Sharon se abrazó a su cuello. Venciendo su repugnancia, le besó en la mejilla y en los labios. Los brazos del hombre se tensaron. Sintió el rápido latir de su corazón. ¡Dios mío, por favor...!

Dejó que sus manos se deslizaran a lo largo de los hombros masculinos, de la espalda... La izquierda subió al cuello de *Zorro* y se detuvo en una lenta caricia. Mientras, la derecha se deslizaba hacia abajo, se hundía en el bolsillo de la chaqueta del secuestrador, sentía el frío de la hoja de acero...

Zorro la apartó de un empujón, arrojándola contra el suelo de cemento. Las piernas, fuertemente amarradas, se plegaron bajo ella. Sintió un dolor agudo, cegador, en el tobillo derecho.

—¡Eres como las otras, Sharon! —gritó el hombre. Estaba de pie, junto a ella. Sharon le miraba desde el suelo. Las oleadas de dolor empujaban lo poco que acababa de comer a su garganta, la ahogaban. El hombre se inclinó sobre ella. Tenía el rostro totalmente desencajado. El pulso le latía bajo los ojos. Unas manchas rojas acentuaban la línea aguda de sus mejillas. Sus pupilas eran dos pozos negros de los que surgía la rabia a borbotones—. ¡Perra! —exclamó—. ¡Perra!

De un empujón la lanzó sobre el catre. Luego le unió los dos brazos a la espalda con violencia. El dolor hundió a Sharon en una nube oscura.

—¡Mi tobillo! —gimió. ¿Era esa su voz?

—¡Sharon, Sharon! ¿Qué ha pasado?

La voz de Neil revelaba el terror que experimentaba el niño.

Haciendo un tremendo esfuerzo, dominó una queja.

—Me he caído.

—¡Como todas las demás! ¡Fingiendo! Sólo que tú eres peor. Has querido engañarme. Sabía que estabas mintiéndome, engañándome... ¡Lo sabía!

Sintió unas manos en torno a su cuello. «¡Dios mío!» Unos dedos poderosos se hundían en su garganta. «¡Señor, ayúdame!», suplicó internamente.

—No.

La presión desapareció. Dejó caer la cabeza hacia atrás sin fuerzas.

—Sharon, Sharon...

Neil lloraba. Había agitación en su voz. Se ahogaba.

La muchacha aspiró profundamente una bocanada de aire y volvió el rostro hacia él. Los párpados le pesaban. Se esforzó por mantenerlos abiertos. *Zorro* estaba junto a la pila mojándose el rostro con agua. Debía estar helada. Le miró aterrada. Era evidente que trataba de controlarse. Había estado a punto de matarla. ¿Qué le había detenido? Quizá creyera que aún podía necesitarla.

Se mordió el labio inferior para dominar el dolor. No había forma de escapar, era imposible. Mañana, cuando tuviera el dinero les mataría a los dos. Y Ronald Thompson moriría por un crimen que no había cometido. Ella y Neil eran los únicos que podían demostrar su inocencia. Se le hinchaba el tobillo. Las cuerdas se clavaban en la carne inflamada haciendo presión contra el cuero de la bota. «¡Dios mío, ayúdame!» Se estremeció y su rostro se cubrió de sudor.

En ese momento *Zorro* se secaba la cara con un pañuelo. Se acercó después al catre, volvió a atar metódicamente las manos de Neil, y les amordazó a los dos. Adhirió de nuevo a la puerta el cable que partía de la maleta.

—Me voy, Sharon —dijo—. Volveré mañana. Sólo una vez más, la última...

No entraba en sus planes el irse tan pronto, pero sabía que si se quedaba allí acabaría matándola. Y podía volver a necesitarla. Cabía la posibilidad de que Peterson exigiera más pruebas de que ella y el niño seguían vivos. Y quería ese dinero. No podía arriesgarse a matarla todavía.

A las once en punto llegaba un tren de Mount Vernon. Faltaban sólo unos pocos minutos. Se quedó esperando junto a la salida del túnel. Estaba muy oscuro.

Pisadas. Se apretó contra la pared y asomó cautelosamente la cabeza. ¡Un hombre! Era un vigilante que miró cuidadoso en torno suyo, paseó un momento por aquella zona, examinó las cañerías y las válvulas, echó una ojeada a la escalera metálica que conducía al cuarto, y volvió a subir lentamente la rampa que iba a desembocar en el andén de Mount Vernon.

Sintió su cuerpo inundado por un sudor frío. La suerte empezaba a abandonarle. Lo sabía. Tenía que acabar con aquel asunto como fuera y huir. Se oyó un ruido atronador y el rechinar de unos frenos. Se deslizó cautelosamente entre los ventiladores y las bombas hasta llegar a la rampa y, una vez en el andén, se unió con un suspiro de alivio a los pasajeros que descendían de los vagones.

Eran sólo las once. No quería quedarse esperando hasta la tarde en su habitación del hotel. Estaba demasiado nervioso. Cruzó la Calle 42 en dirección al Oeste y se metió en un cine. Durante cuatro horas y media contempló absorto la pantalla en que se exhibieron tres películas pornográficas que despertaron sus sentidos y colmaron sus necesidades. A las cuatro y cinco se hallaba a bordo del tren que le conducía a Carley.

No vio a Steve Peterson hasta que estaba ya sentado en el interior del vagón. Por casualidad alzó la vista en el momento en que pasaba a su lado. Afortunadamente, pudo ocultarse tras el periódico que había desplegado ante su rostro para evitar que alguien pudiera reconocerle y sentarse a su lado.

Steve transportaba una pesada maleta.

¡Era el dinero! Lo sabía. Y esta noche sería todo suyo. La sensación de inminente desastre que poco antes le embargara, desapareció como por ensalmo. Cuando, una vez seguro de que Steve se había alejado en su coche, salió de la estación de Carley, iba lleno de esperanza y buen humor. Recorrió con agilidad las cuatro manzanas nevadas que le separaban de su hogar, un miserable garaje situado en un callejón sin salida. Un letrero clavado sobre la puerta, decía: «A. R. Taggert-Reparación de automóviles.»

Abrió la puerta con un llavín y desapareció en el interior del local. No habían echado ningún mensaje por debajo de la puerta. Bien. Eso indicaba que no le habían echado de menos. Pero aunque le hubieran buscado, nadie se habría extrañado de su ausencia. A veces arreglaba los coches de sus clientes a domicilio.

El local era frío y sucio, casi tanto como la habitación de Grand Central. Lo cierto era que siempre había trabajado en antros repugnantes como ése.

Su coche estaba allí, listo para partir. Lo llenó con la gasolina que sacó de la bomba que tenía en un rincón. Instalar aquella bomba fue la mejor idea que había tenido en su vida. A los clientes les resultaba muy cómodo recoger sus coches reparados, con los depósitos llenos de gasolina y listos para salir a la carretera. Y a él también. De ese modo podía salir a recorrer los caminos por la noche. «¿Se ha quedado sin gasolina, señora? Verá, yo llevo un bidón en el portaequipajes. Soy mecánico, ¿sabe?...»

Había sustituido las matrículas del coche por otras

que había cambiado a un cliente dos años antes. Valía la pena prevenirse por si alguien anotaba el número esa noche. Había destornillado también la pequeña emisora de radio, que estaba ahora sobre el asiento delantero. Finalmente se había deshecho de todas las matrículas acumuladas durante los últimos seis años y de las llaves que se había hecho para poder utilizar los automóviles de sus clientes. Lo había arrojado todo a un vertedero de basuras cercano a Pughkeepsie.

Aún quedaban en los estantes unas cuantas herramientas y piezas usadas, además de unos pocos neumáticos apilados en un rincón. Que el viejo Montgomery se molestara en deshacerse de ellos. Bastantes porquerías tendría que llevarse de allí de todos modos.

Era la última vez que pisaba aquel tugurio. Mejor. De todos modos no había podido trabajar mucho durante los dos últimos meses. Estaba demasiado nervioso. Suerte que se había decidido a arreglar el coche de los Vogler. Con ese dinero se las había arreglado durante ese tiempo.

Aquél era el final.

Entró en la mísera habitación que se abría al fondo del garaje y sacó de debajo de la cama una maleta vieja. De una cómoda desvencijada extrajo su reducida colección de prendas de ropa interior y calcetines que colocó después en la maleta.

De la percha que había detrás de la puerta descolgó una vieja chaqueta de color rojo y unos pantalones de cuadros que dobló y metió en la maleta. El mono, manchado de grasa, lo arrojó sobre la cama. Lo dejaría allí. Con todo el dinero que iba a tener, no volvería a necesitarlo.

Sacó el magnetofón del bolsillo de su chaqueta y escuchó de nuevo la grabación de las voces de Sharon y de Neil. La otra grabadora, la «Sony», estaba sobre la cómoda. La puso sobre la cama, revolvió las casetes hasta encontrar la que buscaba y la introdujo en el aparato. Sólo necesitaba la primera parte.

Ésa era.

Volvió a oír la casete de Sharon y de Neil hasta que

se desvaneció el eco de la última palabra del niño. Apretó entonces el botón correspondiente a la grabación mientras que hacía sonar la casete que había introducido en la «Sony».

La operación le llevó sólo un minuto. Cuando acabó, escuchó del principio al fin la casete que iba a enviar a Peterson. Perfecta. Sencillamente perfecta. La envolvió en papel de color marrón y cerró el paquete con cinta adhesiva. Finalmente escribió sobre él unas palabras con un bolígrafo rojo de punta gruesa.

Colocó después las otras casetes y los dos magnetofones entre su ropa, cerró la maleta y la llevó hasta el coche. La del dinero la llevaría con él en el interior del avión. Ésta la facturaría junto con la pequeña emisora de radio.

Abrió la puerta del garaje, subió al coche y lo puso en marcha. Escuchó el sonido del ralentí y sonrió con una sonrisa íntima, vaga. «Ahora una visita a la iglesia y después una cerveza», se dijo.

29

—No lo creo —dijo Steve a Hugh rotundamente—. Y si enfoca usted el caso como si se tratara de un fraude, pondrá en peligro las vidas de Sharon y de Neil.

Acababa de regresar de Nueva York y paseaba por el salón con las manos metidas en los bolsillos. Hugh le contemplaba con una expresión mezcla de compasión y de enojo. Admiraba el férreo dominio de sí mismo que demostraba su interlocutor, pero reconocía que había envejecido diez años en pocas horas. Aquella misma mañana había reparado en las profundas arrugas que la angustia había trazado en torno a sus ojos y a su boca.

—Señor Peterson —dijo con toda claridad—. Le aseguro que estamos llevando el caso como si se tratara de un auténtico secuestro. Sin embargo, empezamos a creer que la desaparición de Sharon y de Neil está relacionada directamente con un intento de recabar clemencia para Ronald Thompson.

—Y yo le digo que no es verdad, que se equivoca. ¿Ha sabido algo de Glenda?

—Me temo que no.

—¿Ni ha mandado *Zorro* una cinta o una casete?

—No. Lo siento.

—Entonces, sólo podemos esperar.

—Sí. Prepárese para salir hacia Nueva York a media noche.

—No va a llamarme hasta las dos.

—Las carreteras, señor Peterson, están bastante peligrosas.

—¿Cree usted que *Zorro* tendrá miedo de acudir a la cita, de no poder escapar después en estas condiciones?

Hugh negó con la cabeza.

—No puedo decirle más de lo que usted ya sabe. Naturalmente hemos intervenido la línea de la cabina de la Calle 52. Pero sospecho que le hará dirigirse inmediatamente a otro teléfono, como hizo en el caso anterior. No podemos arriesgarnos a colocar un micrófono dentro de su automóvil porque no sabemos si *Zorro* subirá a él o no. Hemos apostado a varios agentes en los edificios de los alrededores de la cabina para que puedan seguir sus movimientos. La zona estará vigilada por varios automóviles que le tendrán siempre a la vista y enviarán mensajes a otros coches de la Policía para que le sigan. El aparato electrónico que lleva en la maleta nos permitirá seguirles a varias manzanas de distancia.

Dora asomó la cabeza al salón.

—Perdonen —dijo.

Su voz sonaba diferente. Algo en la frialdad acerada de Hugh la intimidaba. No le gustaba la forma en que les vigilaba constantemente. Sólo porque a Bill le gustara el alcohol no quería decir que fuera una mala persona. La tensión de las últimas veinticuatro horas había sido demasiado para ella. Neil y Sharon volverían sanos y salvos. Confiaba en ello. Steve Peterson era un hombre demasiado bueno para seguir sufriendo como había sufrido durante aquellos dos años.

Por otra parte, ella y Bill estaban deseando irse. Era hora de retirarse a Florida. Se hacía vieja y estaba demasiado cansada para hacerse cargo del niño y de la casa. Neil necesitaba una persona joven, alguien con quien hablar. Sabía que le agobiaba con su constante preocupación por él. «No es bueno para un niño que alguien se lleve un susto cada vez que estornuda», se dijo.

¡Neil! Era un niño tan alegre cuando vivía su madre. Entonces no sufría de asma, ni siquiera se acatarraba. Y aquellos ojos castaños eran reidores y no tristes y ausentes como ahora.

El señor Peterson debía volver a casarse cuanto antes, si no con Sharon, con una mujer que pudiera hacer de aquella casa un verdadero hogar.

Dora se dio cuenta de que Steve la miraba con expresión interrogadora. Tenía que decir algo. Pero no podía pensar con claridad. Estaba muy ocupada y había pasado despierta toda la noche. ¿Qué quería decirle? ¡Ah, sí!

—Me imagino que no tendrá mucha hambre, pero podría prepararles algo de cenar. ¿No les gustaría comerse un par de filetes a usted y al señor Taylor?

—Para mí no, gracias, Dora. Pero quizás al señor Taylor...

—Prepare un bisté para cada uno si no le importa, señora Lufts —interrumpió Hugh. Luego posó una mano sobre el brazo de Steve—. Desde ayer no ha probado bocado y va a pasar toda la noche en vela. Tendrá que conducir y concentrarse en las instrucciones que reciba.

—Supongo que tiene razón.

Acababan de sentarse a la mesa cuando sonó el timbre de la puerta. Hugh se levantó como impulsado por un resorte.

—Abriré yo —dijo.

Steve dejó sobre la mesa la servilleta que acababa de desplegar para colocársela sobre el regazo. ¿Sería la prueba que había pedido? ¿Podría oír la voz de Neil, la de Sharon...?

Hugh volvía en ese momento seguido de un hombre joven, moreno, que le resultó vagamente conocido. ¡Claro, era el abogado defensor de Ronald Thompson! Kurner. ¡Eso, Robert Kurner! Parecía nervioso y tenía un aspecto bastante desaliñado. Llevaba el abrigo desabrochado y el traje arrugado como si hubiera dormido con él puesto. La expresión de Hugh era inescrutable.

Bob no pidió disculpas por interrumpir la cena.

—Señor Peterson —dijo—. Tengo que hablarle acerca de su hijo.

—¿De mi hijo? —Steve leyó en los ojos de Hugh una mirada de advertencia. Apretó los puños bajo la mesa—. ¿De qué se trata?

—Señor Peterson, soy el abogado de Ronald Thompson. Mi defensa fue un fracaso.

—No fue culpa suya que le condenaran —dijo Steve. No miraba a su interlocutor. Contemplaba en cambio su plato fijamente viendo cómo se apagaban poco a poco las burbujas que bullían en la tira de grasa que ribeteaba el bisté. Apartó el plato. ¿Tendría razón Hugh? ¿Sería todo una farsa?

—Señor Peterson, Ronald no mató a su mujer. Le condenaron porque la mayoría de los miembros del jurado creyeron consciente o inconscientemente que había matado también a la señorita Carfolli o a la señora Weiss.

—Pero sus antecedentes...

—Eso ocurrió en su juventud y una sola vez...

—Atacó a una muchacha. Quiso ahogarla...

—Señor Peterson, se trataba de una chica de quince años y el incidente sucedió durante una fiesta. Hicieron un concurso para ver quién podía beber más cerveza. ¿Cuál de nosotros no ha hecho nada semejante durante su adolescencia? Cuando estaba ya casi inconsciente alguien le dio cocaína. No sabía lo que hacía. Luego no recordó siquiera haberle puesto la mano encima a la muchacha. Todos sabemos lo peligrosa que es la mezcla de drogas y de alcohol. Ronald tuvo la mala suerte de meterse en un lío serio la primera y última vez que se emborrachó en su vida. Tras aquel incidente no volvió a beber en dos años. Y tuvo también la increíble mala suerte de entrar en esta casa un segundo después de que su esposa fuera asesinada.

Bob hablaba con voz temblorosa. Las palabras surgían atropelladamente de su boca.

—Señor Peterson, he estudiado con detenimiento la transcripción del juicio. Ayer obligué a Ronald a repetir una y otra vez todo lo que hizo y dijo entre la hora en que habló con la señora Peterson en la tienda de Timberly y el momento en que halló el cadáver. Y me he dado cuenta de que cometí un error. Señor Peterson, su hijo declaró que al oír a su madre, bajó las escaleras y vio a un hombre estrangulándola. Que vio la cara de ese hombre...

—La cara de Ronald Thompson.

—¡No! ¡No! ¿Es que no se da cuenta? Mire, lea la transcripción.

Bob dejó la cartera sobre la mesa, sacó de ella un mazo de papeles y los ojeó rápidamente hasta dar con una página determinada.

—Aquí está. El fiscal preguntó a Neil cómo podía estar tan seguro de que se trataba de Ronald. Y su hijo contestó: «Se había encendido una luz. Estoy seguro.» Yo no me fijé en ese detalle. Se me pasó por alto. Cuando Ronald repitió ayer su declaración una y otra vez, dijo que aquella tarde llamó a la puerta principal, que esperó un par de minutos y volvió a llamar. Neil no dijo una palabra durante el juicio de que hubiera oído el timbre de la puerta.

—Eso no demuestra nada —interrumpió Hugh—. Neil estaba jugando con sus trenes. Probablemente estaba absorto en lo que hacía. Los trenes meten mucho ruido.

—No, no. Dijo textualmente que *se había encendido una luz.* Señor Peterson, aquí está la clave. Ronald llamó a la puerta principal. Esperó, llamó de nuevo, y luego dio la vuelta a la casa, oportunidad que el asesino aprovechó para escapar. Por eso estaba abierta la puerta de atrás. Ronald encendió la luz de la cocina, ¿no se da cuenta? Neil pudo ver claramente su rostro gracias a la luz que provenía de la cocina. Señor Peterson, un niño de corta edad baja corriendo las escaleras y ve cómo estrangulan a su madre. El salón estaba casi a oscuras. Recuérdelo. Sólo estaba encendida la luz del recibidor. ¿No es posible que sufriera un shock, que incluso llegara a desmayarse? Se sabe que a muchos adultos les ha sucedido. Luego recobra el sentido y ve. *Ve* porque ahora la luz de la cocina ilumina el salón. Ve a un hombre inclinado sobre su madre, con las manos sobre su garganta. Era Ronald que trataba de desanudar el pañuelo que la ahogaba. Pero no pudo hacerlo. Estaba demasiado apretado. Se dio cuenta de que Nina estaba muerta y de que todos le creerían culpable. Le invadió el pánico y huyó. Si hubiera sido el asesino, ¿cree que habría dejado vivo a un testigo como Neil? ¿Habría dejado escapar viva a la señora Perry sabiendo que probablemente le reconocería? También ella era cliente de Timberly. Un criminal no deja testigos a su espalda, señor Peterson.

Hugh meneó la cabeza.

—Su teoría no tiene una base sólida. Es sólo conjetura. No hay la menor sombra de evidencia en todo ello.

—Pero Neil puede darnos la prueba que necesitamos —suplicó Bob—. Señor Peterson, ¿nos daría permiso para hipnotizarle? He hablado hoy mismo con varios médicos. Dicen que está reprimiendo algo que muy probablemente puede revelarse por medio de la hipnosis.

—¡No! —Steve se mordió el labio inferior. Poco le había faltado para decir que era imposible hipnotizar a un niño al que habían secuestrado—. ¡Fuera! —exclamó—. ¡Váyase de aquí!

—No. No me iré. —Bob dudó un segundo y luego volvió a coger su cartera—. Siento tener que enseñarle esto, señor Peterson. No quería hacerlo. He estado estudiándolas detenidamente. Son las fotografías que tomaron de su casa inmediatamente después del asesinato.

—¿Está usted loco? —Hugh le arrebató violentamente las fotografías—. ¿De dónde diablos las ha sacado? Pertenecen a los archivos del Estado.

—No importa de dónde las haya sacado. Miren ésta. ¿Lo ven? Es la cocina. La bombilla está al descubierto, sin globo. Eso significa que la luz era más fuerte de lo normal.

Bob abrió de un violento empujón la puerta de la cocina arrojando casi al suelo a Dora y a Bill Lufts que escuchaban ocultos tras ella. Sin prestarles ninguna atención, acercó una silla a la lámpara, se subió a ella y desenroscó rápidamente el globo de cristal. La claridad aumentó notablemente en la habitación. Volvió después al vestíbulo y apagó la luz. Finalmente, hizo lo mismo con las lámparas del salón.

—Miren, miren al salón. Ahora es perfectamente posible distinguir un rostro. Esperen.

Volvió corriendo a la cocina y apagó la luz. Steve y Hugh, sentado aún a la mesa, le miraban fascinados. Bajo la mano de Steve había una fotografía del cadáver de Nina.

—Miren —exclamó Bob—. Con la luz de la cocina apagada, el salón queda prácticamente en tinieblas. Suponga que es usted un niño que baja por las escaleras. Por favor, vaya al vestíbulo y deténgase en el rellano. Mire al interior del salón. ¿Qué pudo ver Neil? Nada más que una silueta. Alguien ataca a su madre. Queda inconsciente. No oye el timbre. Recuerden bien que *no oyó el timbre*. El asesino escapa. Para cuando Ronald, cansado de llamar a la puerta, se dirige a la puerta de servicio, el asesino ha huido. Y Ronald probablemente salvó la vida de su hijo al venir aquí aquel día.

«¿Sería posible? —se preguntó Steve—. ¿Sería posible que aquel muchacho fuera inocente?» Permaneció de pie, inmóvil, en el vestíbulo mirando hacia el salón. ¿Qué habría visto Neil? ¿Habría perdido el sentido durante unos minutos?

Hugh pasó junto a él, entró en el salón y encendió una lámpara.

—No es suficiente —dijo con decisión—. No es más que una conjetura, una pura y simple conjetura. No hay nada que demuestre que lo que dice es cierto.

—Neil puede darnos la prueba. Él es nuestra única esperanza, señor Peterson. Le ruego que nos deje interrogarle. He hablado por teléfono con el doctor Michael Lane. Está dispuesto a venir esta misma noche. Pertenece al cuadro médico del hospital Monte Sinaí. Por favor, señor Peterson, no le niegue usted a Ronald la oportunidad de seguir viviendo.

Steve miró a Hug que negó débilmente con la cabeza. Si confesaba la desaparición de Neil, el abogado aprovecharía la ocasión para aducir que el secuestro estaba relacionado con la muerte de Nina. Eso significaría publicidad y posiblemente el fin de la esperanza de recuperar a Sharon y Neil sanos y salvos.

—Mi hijo no está aquí —dijo—. He recibido algunas amenazas a causa de mi actitud con respecto a la pena de muerte y no quiero decir a nadie dónde se encuentra.

—¡No quiere decir a nadie dónde se encuentra! Señor Peterson, un joven de diecinueve años al que se acusa de un crimen que no ha cometido va a morir mañana en la silla eléctrica, y usted se niega a declarar dónde se encuentra su hijo...

—No puedo ayudarle. —Steve perdió la calma—. ¡Váyase! ¡Váyase y llévese esas malditas fotos de aquí!

Bob se dio cuenta de que no le serviría de nada insistir. Se dirigió apresuradamente al comedor, metió los documentos en su cartera y recogió las fotografías. Iba a cerrarla ya cuando sacó violentamente de ella una copia de las declaraciones que había hecho Ronald el día anterior. La arrojó sobre la mesa.

—Lea esto, señor Peterson —dijo—. Léalo y luego dígame si le parece que el que habla es un asesino. Sentenciaron a Ronald a morir en la silla eléctrica porque las muertes de la señorita Carfoli y la señora Weiss, además de la de su esposa, tenían aterrado a todo el condado de Fairfield. Durante los últimos quince días han

159

muerto asesinadas otras dos mujeres que se hallaban solas de noche en la carretera. Ya lo sabe. Juro por Dios que esos cuatro crímenes están relacionados y juro también que la muerte de su esposa tiene que ver con todos ellos. Las cinco mujeres fueron estranguladas con pañuelos o cinturones. No lo olvide. La única diferencia es que, por alguna razón que desconocemos, en el caso de su esposa, el asesino entró en una casa. Pero las cinco mujeres murieron del mismo modo.

Un segundo después había desaparecido después de cerrar la puerta tras de sí de un portazo. Steve miró a Hugh.

—¿Qué me dice ahora de su teoría de que el secuestro está relacionado con la ejecución de mañana? —preguntó acusadoramente.

Hugh meneó la cabeza.

—Lo único que sabemos con seguridad es que Kurner no participa en la conspiración, cosa que, por otra parte, nunca habíamos sospechado.

—¿Hay alguna posibilidad, por débil que sea, de que esté en lo cierto acerca de la muerte de Nina?

—Se está agarrando a un clavo ardiendo. Todos son «quizás» y conjeturas. Es abogado y quiere salvar a su cliente.

—Si mi hijo estuviera aquí, permitiría que ese médico hablara con él, que le hipnotizara si fuera necesario. Neil ha tenido pesadillas muy a menudo desde esa noche. Precisamente me habló de ello la semana pasada.

—¿Qué le dijo?

—Algo de que tenía miedo y no podía olvidar. He hablado con un siquiatra de Nueva York que me ha sugerido que puede tratarse de un caso de represión. Hugh, dígame sinceramente, ¿está usted *convencido* de que Ronald Thompson mató a mi mujer?

Hugh se encogió de hombros.

—Señor Peterson, cuando las pruebas son tan decisivas como en este caso, es imposible llegar a ninguna otra deducción.

—No ha contestado a mi pregunta.

—La he contestado del único modo que puedo hacerlo. Ese bisté estará ya incomible. Pero, por favor, tome *alguna cosa.*

Pasaron al comedor. Steve partió un panecillo y se sirvió un café. Al hacerlo rozó con el codo los papeles de la declaración de Ronald. Cogió la primera página y empezó a leer: «Sentía perder el empleo, pero comprendía las razones del señor Timberley. Él necesitaba a una persona que pudiera trabajar más horas. Pero a mí me importaba mucho jugar al fútbol porque eso podía facilitarme la admisión en una Universidad y hasta incluso podía valerme una beca. Por eso no podía seguir trabajando tanto. La señora Peterson oyó al señor Timberley. Me dijo que sentía mucho que me despidieran y que siempre había sido muy amable con ella al ayudarla a sacar las bolsas al coche. Me preguntó qué tipo de trabajo iba a buscar ahora y yo le dije que trataría de pintar alguna casa durante el verano. Hablamos de eso mientras íbamos hacia su coche. Me dijo que ellos acababan de comprarse una casa y que querían pintarla por dentro y por fuera. Mientras metía las bolsas en el portaequipajes me dijo que fuera a echar un vistazo a la casa. Yo le dije que ése era mi día, que como decía mi madre a veces la mala suerte de pronto se transforma en buena. Bromeamos un poco y ella se rió y comentó: "En cierto modo también es mi día de suerte porque han cabido todas las bolsas en el portaequipaje." Me confesó que no le gustaba nada ir a la compra y que por eso se llevaba tanta comida de una vez. Eran las cuatro en punto. Luego...»

Steve dejó de leer. ¡Conque su día de suerte! *¡Su día de suerte!* Apartó de sí el manuscrito de un manotazo.

En ese momento sonó el teléfono. Steve y Hugh se levantaron de un salto. El policía corrió a la cocina. Steve descolgó el auricular de la extensión del despacho.

—Steve Peterson al habla —dijo con cierto temor. «¡Por favor, que sean buenas noticias!», pensó.

—Señor Peterson, soy el padre Kennedy, de la parroquia de Santa Mónica. Me temo que ha ocurrido algo bastante extraño.

Steve sintió que los músculos de la garganta se le

agarrotaban. Hizo un esfuerzo por articular unas palabras.

—¿De qué se trata, padre?

—Hace veinte minutos, cuando me acerqué al altar mayor para decir la misa de la tarde, hallé un paquetito apoyado contra la puerta del sagrario. Le leeré exactamente lo que dice: «Para entregar a Steve Peterson inmediatamente. Asunto de vida o muerte.» Y su número de teléfono. ¿Puede tratarse de una broma?

Steve oyó la ronquera de su propia voz, notó el sudor frío que empapaba las palmas de sus manos.

—No, no es una broma. Puede ser importante. Voy para allá inmediatamente, padre. Y, por favor, no hable de esto con nadie.

—Naturalmente, señor Peterson. Le esperaré en la rectoría.

Cuando Steve regresó media hora más tarde, Hugh le esperaba con el magnetofón preparado. Ambos se inclinaron sombríos sobre el aparato cuando las ruedas comenzaron a girar.

Durante unos instantes se oyó una respiración áspera y jadeante y luego la voz de Sharon. Steve palideció y se aferró al brazo de Hugh. El mensaje. La voz de Sharon leía el mensaje que el secuestrador había redactado. ¿Qué quería darle a entender al decir que se había equivocado? ¿Por qué tenía que perdonarla? La grabación se cortaba bruscamente como si alguien la hubiera interrumpido. Neil. De él provenía ese sonido áspero de respiración. Neil tenía un ataque de asma. Steve escuchó la voz entrecortada de su hijo. Sharon le cuidaba. Pero, ¿por qué mencionaba de pronto a su madre? ¿Por qué en ese preciso momento?

Apretó los puños hasta que los nudillos se pusieron blancos y se los llevó a la boca para dominar los sollozos que sacudían su pecho.

—Eso es todo —dijo Hugh. Alargó la mano hacia el magnetofón—. Oigámoslo otra vez.

Pero antes de que pudiera detener la cinta, ocurrió. Una voz cálida, alegre, melodiosa, acogedora, invadió la habitación.

«¡Qué amabilidad la suya! Pase, por favor.»

Steve dio un salto y un grito de angustia surgió de su garganta.

—¿Qué pasa? —preguntó Hugh—. ¿Qué es esto?

—¡Dios mío! —exclamó Steve—. Es mi mujer. ¡Nina!

30

Hank Lamont aparcó su automóvil ante la puerta de la taberna «El Molino», situada en la avenida Fairfield de Carley. Nevaba intensamente y unas fuertes ráfagas de viento azotaban el parabrisas. Aguzó la mirada de sus grandes ojos azules e inocentes para estudiar el mal iluminado interior del local. Parecía casi vacío. Probablemente los clientes se habían quedado en casa esta noche a causa del mal tiempo. Mejor. Así tendría oportunidad de hablar con el camarero. Ojalá fuera de esos que en seguida pegan la hebra.

Se bajó del automóvil. «¡Qué barbaridad! ¡Vaya frío que hace! —se dijo—. ¡Una nochecita de perros!» No sería nada fácil seguir al coche de Peterson. Probablemente habría tan poco tráfico en la carretera que los pocos automóviles que rodaran por ella saltarían a la vista por poca atención que se prestara.

Abrió la puerta y entró en la taberna. En el interior reinaba un calorcillo agradable. Flotaba en el ambiente un tenue olor a cerveza y a comida que no resultaba precisamente desagradable. Parpadeó para quitarse los copos de nieve de las pestañas y miró hacia la barra. Había sólo cuatro hombres junto a ella. Se aproximó, asentó su corpachón en uno de los taburetes y pidió una botella de «Michelo».

Mientras bebía recorrió el local con la mirada. Dos de los clientes miraban un partido de hockey que retransmitía la televisión. Hacia el centro de la barra, un ejecutivo bien vestido, de mirada vidriosa y escasos cabellos canosos, bebía lentamente un martini. Su mirada se cruzó con la de Hank.

—¿Está de acuerdo, caballero, en que un hombre prudente no debe aventurarse a conducir ni diez millas en estas condiciones? ¿No cree que es mucho más práctico que llame a un taxi? —Meditó un momento sobre sus circunstancias personales—. Especialmente si lleva encima una buena curda —añadió después, aunque la observación era totalmente innecesaria.

—Tiene usted mucha razón —afirmó Hank de buena gana—. Vengo conduciendo desde Peterboro y le aseguro que las carreteras están desastrosas.

Bebió un largo trago de cerveza. El camarero secaba unos vasos.

—¿Es usted de Peterboro? No le he visto nunca por aquí, ¿verdad?

—No. Estoy de paso. Me entraron ganas de hacer una parada y de pronto me acordé de un viejo amigo mío, Bill Lufts. Según me ha dicho siempre, suele venir por aquí a estas horas.

—Sí, viene casi todas las noches —dijo el camarero—. Pero puede que no esté usted de suerte. Ayer no apareció porque era su aniversario de bodas y salió con su mujer. Fueron a cenar y al cine. Pensábamos que después de dejarla en casa se vendría por aquí a tomar una copita antes de irse a la cama, pero no apareció. Lo que es raro es que no esté aquí esta noche, a menos que ella le haya echado un buen rapapolvo. Si es así, ya nos lo contará, ¿verdad, Arty?

El otro cliente solitario levantó la vista de la cerveza que bebía, y, sin moverse, contestó,

—A mí todo eso por un oído me entra y por otro me sale. No me interesan los asuntos familiares.

Hank rió.

—Oiga, ¿y para qué viene uno al bar si no es para quitarse las penas de encima contándoselas a los otros?

Los dos hombres que miraban el partido de hockey apagaron el televisor.

—¡Vaya porquería de partido! —comentó uno de ellos.

—Un latazo —dijo el otro.

—Éste es un amigo de Bill Lufts —dijo el camarero señalando a Hank con un movimiento de cabeza.

—Les Watkins —dijo el más alto.

—Pete Lerner —mintió Hank.

—Joe Reynols —se presentó el más gordo—. ¿A qué se dedica, Pete?

—Tengo un almacén de fontanería en New Hampshire. Voy a Nueva York a recoger unas muestras. Oigan, ¿por qué no se toman una copa a mi salud?

Pasó una hora durante la cual Hank averiguó que Les y Joe eran empleados en un almacén de la cadena «Modell» situado en la carretera 7, que Arty era mecánico, y que el ejecutivo medio calvo, Allan Kroeger, trabajaba en una agencia publicitaria.

Muchos de los clientes habituales no habían acudido aquella noche a causa del tiempo, entre ellos Bill Finelli y Don Branningan. Charley Pincher solía dejarse caer a aquella hora, pero él y su mujer formaban parte del grupo Pequeño Teatro y esa noche estaban ensayando una nueva obra.

Llegó el taxi a buscar a Kroeker. Les Watkins iba a llevar a Joe a su casa. Pidieron la cuenta. Arty se levantó para irse. El camarero rechazó el dinero que le entregaba con un movimiento de la mano.

—Esta noche te invito —dijo—. Vamos a echarte de menos.

—Es verdad. Lo mismo digo —exclamó Les—. Buena suerte, Arty. Ya nos escribirás para decirnos cómo te va...

—Gracias. Si fracaso volveré y aceptaré ese empleo que me ofrece Shaw. Siempre me está diciendo que trabaje con él.

—¿Por qué no iba a hacerlo? Todo el mundo sabe que eres muy buen mecánico —dijo Les.

—¿Adónde va usted? —preguntó Hank.

—A Rhode Island, a Providence.

—Lástima que no hayas podido despedirte de Bill —comentó Joe.

Arty rió cínicamente.

—Rhode Island no es Arizona —dijo—. Volveré. Bueno, más vale que me vaya a dormir un poco. Quiero levantarme muy temprano mañana.

Allan Kroeger se acercó a la puerta con paso inseguro.

—Arizona —dijo—. La tierra del desierto pintado.

Los cuatro hombres salieron juntos. Una bocanada de aire helado se introdujo en el local.

Hank se quedó observando la espalda de Arty mientras éste se alejaba.

—Ese tal Arty, ¿es muy amigo de Bill Lufts?

El camarero negó con la cabeza.

—¡Qué va! Cualquiera que tenga un par de oídos es amigo íntimo de Bill Lufts en cuanto éste se echa entre pecho y espalda un par de buenos latigazos. Ya me entiende lo que quiero decir. Los muchachos dicen que lo que pasa es que tiene que aguantar a su mujer todo el día y luego por la noche necesita a alguien que le aguante a él.

—Ya entiendo. —Hank apartó de un golpe el vaso que se deslizó a través de la barra—. Sírvase una copa a mi salud.

—Pues mire, se la acepto. Por lo general si hay mucha clientela nunca bebo, pero hoy ya ve que no hay un alma. La nochecita no puede ser peor y no sólo por el tiempo. Le da a uno escalofríos pensar en ese pobre Ronald Thompson, ya sabe. Su madre vive a dos manzanas de mi casa.

Hank entornó los ojos.

—Eso es lo que pasa cuando uno se dedica a ir por ahí matando a gente —observó.

El camarero negó con la cabeza.

—La mayoría de los vecinos de por aquí no creemos que ese chico haya matado a nadie. Aunque es cierto que en una ocasión se metió en un buen lío, o sea que todo es posible. Dicen que, exteriormente, los peores asesinos parecen gente normal.

—Sí, eso dicen.

—Sabrá usted que Bill y su mujer viven en la casa de la mujer que asesinaron... en la casa de Steve Peterson.

—Sí, ya lo sabía.

—Se llevaron los dos un buen disgusto. Dora les limpiaba la casa hacía varios años. Bill dice que el pobre crío no se ha recuperado todavía, que llora mucho y tiene pesadillas.

—Tuvo que ser un golpe muy duro —dijo Hank.

—Bill y su mujer quieren irse a Florida. Están esperando a que el padre del chico vuelva a casarse. Ahora sale con una escritora, una chica muy guapa, según dice Bill. Venía a Carley anoche.

—¿Sí?

—Sí, el niño no la quiere mucho. Probablemente tiene miedo de que pretenda remplazar a su madre. Ya sabe cómo son los críos...

—Me lo imagino.

—El padre es director de *Events*, ya sabe, esa revista que empezó a salir hará un par de años. Ha debido meter un montón de pasta en ese negocio. Hasta ha hipotecado la casa y todo. Pero parece que por ahora le va muy bien. Bueno, voy a tener que cerrar. No creo que venga ya nadie con este tiempecito. ¿Quiere la última cerveza?

Hank meditó un momento. Necesitaba unas cuantas respuestas más. No tenía tiempo que perder. Dejó el vaso sobre el mostrador, sacó la cartera y mostró su tarjeta de identidad.

—FBI —dijo.

Una hora después, se hallaba de regreso en casa de Peterson. Después de conferenciar con Hugh, llamó a la central del FBI en Manhattan. Se aseguró de que la puerta estaba bien cerrada y habló en voz baja.

—Hugh tenía razón. Bill Lufts es un bocazas. Los clientes de la taberna «El Molino» sabían desde hace dos semanas que iba a salir anoche con su mujer, que Peterson tenía una reunión hasta tarde y que Sharon Martin iba a venir a quedarse con el niño. El camarero me ha dado una lista de diez clientes que suelen hablar con Bill. Algunos de ellos estaban aquí esta noche. No parecen sospechosos. Quizá sí valga la pena averiguar algo sobre Charley Pinched. Él y su mujer son actores. Quizás uno de los dos pueda imitar la voz de una persona a la que oyeron hablar hace dos años. He conocido a un tal Arty Taggert que se va mañana a Rhode Island. Parece inofensivo. Luego dos viajantes, Les Watkins y Joe Reynolds... Yo no perdería el tiempo con ellos. Te doy los otros nombres.

Cuando acabó de leer la lista, añadió:

—Otra cosa. Bill Lufts les dijo a todos hace un mes que Neil tenía una cuenta propia. Había oído hablar a Peterson y a su contable acerca de ello. Así que lo sabían todos los clientes de la taberna y quién sabe cuánta gente más. Bien. Voy para allá con la casete. ¿Habéis podido localizar a John Owens?

Colgó el teléfono y atravesó meditabundo el salón. Hugh Taylor y Steve hablaban en el vestíbulo en voz baja. Este último se estaba poniendo el abrigo. Era ya cerca de media noche y se preparaba para acudir a su cita con *Zorro*.

31

Lally estaba tan preocupada por aquellos intrusos que cuando se encontró con Rosie en la sala de espera principal le soltó apresuradamente toda la historia. Nada más hacerlo se arrepintió.

—Esa habitación significaba mucho para mí —dijo tristemente al terminar. ¿Qué haría ahora si Rosie se empeñaba en compartir el cuarto con ella? No podía permitírselo. Imposible.

Pero su preocupación era infundada.

—¿Quieres decir que duermes en Sing-Sing? —preguntó Rosie incrédula—. No conseguirías llevarme allí ni por todo el oro del mundo. Ya sabes cómo odio a los gatos. Los odio profundamente.

¡Claro! No se acordaba. A Rosie le daban miedo los gatos.

Era capaz de pasarse a la otra acera cuando iba por por la calle para no cruzarse con uno.

—Bueno, ya sabes que yo en eso soy distinta —dijo Lally—. A mí me encantan los gatos. Los pobres pasan tanta hambre. Y ahora más que nunca en ese túnel —dijo exagerando la verdad. Rosie se estremeció.

—Me imagino que ahora están allí los dos esconditos, pero cuando él se vaya iré a darle un susto a la chica —concluyó Lally.

Rosie estaba sumida en sus pensamientos.

—Supón que te equivocas —apuntó—. Supón que entras y te lo encuentras allí. Dices que parece que es una mala persona.

—Peor que eso. Quizá puedas ayudarme a vigilarle.

A Rosie le encantaban las intrigas. Sonrió ampliamente dejando al descubierto una hilera de dientes rotos y amarillentos.

—Claro que sí.

Acabaron de beberse el café, guardaron cuidadosamente en sus bolsas unos trozos sobrantes de sus bollos, y se encaminaron al nivel inferior de la estación.

—Puede que tarde en salir —dijo Lally malhumorada.

—No importa. Lo malo es que hoy está de servicio Olendorf —dijo Rosie.

Era uno de los vigilantes más estrictos. No permitía vagabundear a nadie por la estación. Siempre anda persiguiéndoles a todos para asegurarse de que no mendigaban ni iban dejando basura por la terminal.

Con cierto nerviosismo, se apostaron junto a los escaparates de la librería «Open Book». Pasó el tiempo. Esperaron con impaciencia, casi inmóviles. Lally tenía preparada una excusa por si Olendorg les preguntaba qué hacían allí. Le diría que una amiga suya le había avisado de que iba a llegar a Nueva York y que habían quedado en encontrarse en ese lugar.

Pero el vigilante pasó junto a ellas sin hacerles caso. Los pies y las piernas de Lally comenzaban a latir de fatiga. Iba a sugerirle a Rosie que dieran por terminada la guardia, cuando una riada humana subió las escaleras procedente del andén de Mount Vernon. Entre los pasajeros iba un hombre de cabello oscuro y andar envarado. Lally tomó a su amiga del brazo.

—Es ése —exclamó—. Mira, va hacia las escaleras. Es ese del abrigo marrón y los pantalones verdes.

Rosi aguzó la vista.

—Sí. Ya le veo.

—Ahora ya puedo bajar —dijo Rosie exultante.

Rosie la miró dudosa.

—Yo no bajaría mientras Olendorf ande rondando por ahí. Acaba de darse una vuelta por esa zona.

Pero Lally no se dejó disuadir. Esperó a que el vigilante se fuera a comer y entonces se escurrió hasta el andén. Los pasajeros comenzaban a subir al tren de las doce y diez. Su presencia pasaría inadvertida. Desapareció en lo más profundo del andén y bajó la rampa a la mayor velocidad que le permitía la artritis que padecía en las rodillas.

La verdad era que no se sentía muy bien. Aquél había sido el invierno más duro que había pasado en su vida. La artritis se había extendido a la espalda y a las plantas de los pies. Le dolía todo el cuerpo. Estaba deseando tenderse y descansar en su viejo catre. En dos minutos echaría a la intrusa de allí. «Señorita —le diría—, la Policía se ha dado cuenta de que está usted aquí y viene a detenerla. Váyase en seguida y avise a su amigo.»

Con eso bastaría.

Pasó apresuradamente junto al generador, en torno a las bocas de los ventiladores... El túnel se abría ante ella oscuro y silencioso.

Miró a la puerta de su habitación y sonrió gozosa. Ocho pasos más y se halló al pie de la escalera que conducía hasta ella. Pasó la bolsa al otro brazo y con la mano derecha sacó la llave del bolsillo de la chaqueta.

—¿Adónde vas, Lally? —preguntó una voz aguda inesperadamente.

Lally gritó asustada y casi cayó de espaldas por la escalera. Recuperó el equilibrio y pensando en una excusa a toda velocidad se volvió lentamente para enfrentarse con el corpachón amenazador del agente Olendorf. Rosie tenía razón, había estado vigilándola. Había fingido irse a comer para que cayera en la trampa. Deslizó la llave en el interior de la bolsa de la compra. ¿Le habría visto sacarla?

—Te he preguntado que adónde vas, Lally.

Cerca de ellos, retumbaron los generadores. Sonó un estruendo sordo y un chirriar de frenos. Un tren se detenía en el andén del piso superior. Lally continuaba en silencio, impotente.

Un súbito sonido agudo, un *miau* estridente llegó hasta sus oídos desde un rincón oscuro y en su mente nació la inspiración.

—¡Los gatos! —dijo señalando con mano temblorosa las siluetas de aquellos esqueléticos animales—. Están muertos de hambre. Quise traerles algo de comer. Estaba sacando la comida de la bolsa...

Sacó apresuradamente la servilleta en que había envuelto las sobras del desayuno.

El vigilante examinó con disgusto el grasiento trozo de papel, pero cuando volvió a hablar lo hizo con menos hostilidad.

—Lo siento por ellos, pero tú no tienes nada que hacer por aquí, Lally. Échales eso y lárgate.

Su mirada abandonó a Lally, se deslizó escaleras arriba y se detuvo pensativa en la puerta de la habitación. El corazón de la anciana latió salvajemente. Recogió la bolsa, se volvió hacia los gatos, les arrojó las migajas y les contempló mientras luchaban por ellas.

—¿Ve qué hambre tienen? —dijo suavemente para aplacar al vigilante—. ¿Tiene usted gatos en casa, señor Olendorf?

Se alejaba de allí y quería que él la siguiera. ¿Qué pasaría si decidía usar su llave maestra y registrar la habitación? Si encontraba allí a la chica seguro que cambiarían la cerradura. Hasta quizá pondrían un candado.

Olendorf dudó, se encogió de hombros y al fin se decidió a seguirla.

—Antes, sí, pero mi mujer ha decidido que no quiere tener más. Desde que murió uno que quería con locura y casi enfermó del disgusto.

Ya a salvo, de vuelta en la sala de espera, Lally cayó en la cuenta de que el corazón le latía desacompasado. Su plan había fracasado. No podría volver a su habitación hasta la noche, cuando Olendorf acabara su turno y se fuera a casa. Dando gracias al destino porque los gatos se hubieran peleado por las migajas, se acercó a una papelera y sacó de ella un ejemplar de la revista *People* y las primeras páginas del periódico *The Village Voice*.

32

Neil sabía que Sharon se había hecho daño. Le había engañado al decirle que se había caído. Seguro que el hombre la había empujado. Quería hablar con ella, pero la mordaza estaba demasiado apretada, mucho más que la vez anterior. Quería decirle a Sharon lo valiente que había sido al tratar de enfrentarse con el secuestrador. Él no se había atrevido a hacerlo cuando le vio tratando de matar a su madre. Pero ni siquiera Sharon que era casi tan alta como él había sido capaz de vencerle.

Ella le había avisado de que iba a tratar de quitarle la pistola a *Zorro*. Le había dicho: «No te asustes si me oyes decir que voy a dejarte. No voy a hacerlo. Pero si puedo quitarle la pistola, quizá podamos obligarle a que nos saque de aquí. Tú y yo nos hemos equivocado y somos los únicos que podemos salvar a Ronald Thompson.»

La voz de Sharon sonaba rara y como lejana cuando le hablaba y seguro que la suya también, pero aún así había logrado contárselo todo... Que Sandy le había dicho que debía haber ayudado a su mamá, que siempre soñaba con aquella tarde en que la mataron, que Sandy le había dicho que los Lufts iban a llevárselo con ellos a Florida, que los chicos del colegio le preguntaban si quería que mataran a Ronald Thompson en la silla eléctrica.

A pesar de lo difícil que era hablar con aquella mordaza en la boca, cuando acabó se dio cuenta de que respiraba mucho mejor. Entendía muy bien lo que quería hacer Sharon. Iban a matar a Ronald Thompson porque le creían culpable de la muerte de su mamá, pero Thompson no era el asesino. Él había dicho que sí, pero no había querido mentir. Eso era lo que trató de decirle a su padre en el mensaje.

Ahora tenía que tener cuidado de respirar despacito por la nariz y de no asustarse ni llorar porque si no se ahogaría. Hacía frío y le dolían los brazos y las piernas, pero algo en su interior había dejado de torturarle. Sharon encontraría el modo de salir de allí, de escapar de aquel hombre para que entre los dos pudieran salvar a Ronald. O papá vendría a buscarles. Estaba seguro de ello.

Sentía el aliento de Sharon en su mejilla. Había colocado la cabeza bajo la barbilla de la muchacha. De vez en cuando Sharon hacía un ruido extraño, como si le doliese algo, pero acurrucado allí contra ella, se sentía mejor. Como cuando era muy pequeño y a veces se despertaba en medio de la noche con una pesadilla y corría a meterse en la cama de papá y mamá. Mamá le apretaba contra ella, le decía «Deja ya de removerte» con voz somnolienta, y él volvía a dormirse acurrucado junto a su cuerpo.

Sharon y papá le cuidarían bien. Se acercó un milímetro más a la muchacha. Ojalá pudiera decirle que no se preocupara por él. Respiraría lentamente, aspirando el aire hasta el fondo. Le dolían mucho los brazos. Se propuso dejar de pensar en el dolor. Pensaría en algo agradable... En el cuarto del último piso y en los trenes Lionel que Sharon iba a regalarle.

33

—Por lo que más quieras, querida. Es ya casi de noche. Déjalo.

Roger vio impotente cómo Glenda negaba con la cabeza. Alarmado, constató que el frasco de tabletas de nitroglicerina que había sobre la mesilla de noche de su esposa estaba casi vacío. Aquella misma mañana lo había visto lleno.

—No. Tengo que recordar. Sé que lo recordaré. Roger, vamos a probar de otra forma. Te diré todo lo que hice el mes pasado. He ido apuntándolo día por día, pero sé que se me olvida algo. Quizá si te lo cuento...

Sabía que era inútil resistirse. Acercó una silla a la cama y se dispuso a concentrarse. Le dolía la cabeza. El médico había vuelto y se había puesto furioso al ver el estado de nervios en que se hallaba Glenda. Naturalmente, no había podido explicarle la razón de su agitación.

Insistió en administrarle una fuerte inyección de calmante, pero Roger sabía que su esposa nunca le perdonaría que dejara que la durmieran en esas circunstancias. Ahora, al ver su palidez cenicienta y el tono púrpura de sus labios, recordó el día en que sufrió la trombosis... «Hacemos todo lo que podemos, señor Perry... Puede morir en cualquier momento... Será mejor que avise a sus hijos...»

Pero ella había sobrevivido. «¡Dios mío! Si de verdad sabe algo, haz que lo recuerde.» Si Sharon y Neil morían y luego Glenda pensaba que podía haberlos salvado... Eso la mataría.

¿Qué sentiría Steve en este momento? Pronto llegaría la hora de que saliera para Nueva York con el dinero del rescate.

¿Dónde estaría ahora la madre de Ronald Thompson? ¿Qué estaría pensando? ¿Sentiría esa misma angustia, esa misma sensación de fracaso, de frustración? Claro que sí.

¿Y qué sería de Sharon y de Neil? ¿Tendrían mucho miedo? ¿Les habrían maltratado? ¿Seguirían vivos, o sería ya demasiado tarde?

Y, para colmo, Ronald Thompson. Durante el juicio, Roger no había hecho más que pensar cuánto se parecía a Chip y a Doug cuando éstos tenían su misma edad. A los diecinueve años sus hijos estudiaban ya segundo curso de carrera, Chip en Harvard y Doug en la Universidad de Michigan. Ése era el lugar que correspondía a un chico de diecinueve años. La Universidad, no la celda de los condenados a muerte.

—Roger —Glenda hablaba con enorme serenidad—. Quizá si hicieras una especie de diagrama para cada día, hora por hora, ya sabes lo que quiero decir... Eso me ayudaría mucho a recordar. Acércate a mi escritorio. Encontrarás un cuaderno.

Roger hizo lo que su esposa le pedía.

—Verás —dijo Glenda—. Estoy segura de que recuerdo perfectamente lo que hice ayer y el domingo, así que no perdamos el tiempo con esos dos días. Empezaremos con el sábado...

34

—¿No quiere hacerme ninguna pregunta, señor Peterson? ¿Está seguro de haberlo entendido todo bien?

Hugh y Steve se hallaban en el vestíbulo. De la mano
de este último pendía la pesada maleta que contenía el
dinero del rescate.

—Creo que sí.

Su voz sonaba serena, casi monótona. En algún momento de aquellas últimas horas, la fatiga había desaparecido de su cuerpo. Una especie de insensibilidad incontrolable le tenía como anestesiado. Ya no sentía ni
el dolor ni la preocupación. Podía pensar con toda claridad de una forma casi abstracta. Se hallaba de pie, en
la cresta de una colina, contemplando una tragedia de
la que era al mismo tiempo actor y espectador.

—Vamos a ver. Repítamelo.

Hugh reconocía los síntomas que veía en su interlocutor. Peterson estaba llegando al límite de su resistencia emocional. Había entrado ya en una especie de shock.
Aquella idea del secuestrador de imitar la voz de su mujer, había sido el colmo. Y el pobre hombre seguía
insistiendo en que realmente se trataba de ella. ¡Qué
modo tan grosero, tan rudimentario de tratar de conectar el secuestro con la muerte de Nina! Hugh había reparado también en un par de cosas más. Por ejemplo, en
que Sharon había pedido disculpas. Luego Neil había
dicho que Sharon le cuidaba. ¿No querría decir con ello
que se trataba de un fraude, de una comedia?

¿Lo sería?

Quizá John Owens pudiera ayudarles. Habían conseguido localizarle y le esperaba en la oficina del FBI en
Nueva York.

Steve habló.

—Iré directamente a la cabina telefónica de la Calle 59. Si llego demasiado pronto, esperaré en el automóvil y hasta pocos segundos antes de las dos de la madrugada. A esa hora, bajaré del coche y esperaré junto al teléfono. Probablemente me dirá que vaya a otra cabina. Le obedeceré. Después, lo más seguro es que, como esperamos, pueda encontrarme cara a cara con el secuestrador para entregarle la maleta. Cuando me separe de él, iré al cuartel general del FBI situado en la esquina de la Calle 69 y la Tercera Avenida. Usted me estará esperando para sacar las máquinas fotográficas del coche y revelar las fotografías.

—Eso es. Recuerde que le seguiremos a distancia. El aparato electrónico que lleva su coche nos mantendrá al tanto de sus movimientos. Uno de nuestros hombres estará esperando para seguirle ahora por la autopista y asegurarse de que no le ocurre nada. Señor Peterson, buena suerte.

Le tendió la mano.

—¿Suerte? —Steve repitió la palabra con asombro, como si la oyera por primera vez—. Últimamente no he pensado tanto en la suerte como en una vieja maldición, la maldición de Wexford. ¿La conoce usted por casualidad?

—Creo que no.

—No la recuerdo entera, pero dice más o menos: «Que el zorro haga su nido en el hueco de tu hogar y que tus ojos se apaguen de modo que no vuelvas a ver aquello que más amas. Que la bebida más dulce se transforme en tus labios en la copa amarga del dolor...» Hay más, pero con esto ya se hará usted una idea de por dónde va la cosa. Bastante apropiado, ¿verdad?

Steve salió sin esperar a oír la respuesta. Hugh vio al «Mercury» salir de la avenida a la calle y girar a la izquierda en dirección a la carretera. «Que el zorro haga su nido en el hueco de tu hogar...» «¡Que Dios le ayude!», se dijo. Meneó la cabeza tratando de liberarse de la sensación de desastre inminente que le invadía y cogió su abrigo. No había un solo coche del FBI aparcado ante la casa. Él y los agentes salían por la puerta trasera y atravesaban a pie los dos acres de bosques que se extendían a espaldas de la casa de Steve. Los coches estaban aparcados en un estrecho camino que habían abierto cuando hicieron el alcantarillado de aquella zona. No podían ser vistos desde la calle.

Quizá John Owens pudiera sacar alguna conclusión de la casete que había enviado el secuestrador. John, un agente jubilado que había quedado ciego veinte años atrás a causa de la carcoma, había desarrollado hasta tal punto el sentido del oído que podía interpretar todos los sonidos de fondo en cintas de ese tipo con increíble propiedad. Por eso acudían a él siempre que una grabación cobraba importancia para la resolución de un caso. Después, como es natural, se enviaba la casete al laboratorio donde se la sometía al oportuno análisis. Pero el resultado de éste tardaba días en saberse.

Hugh le había preguntado a Steve acerca de la familia de Nina sin explicarle por qué. Pertenecía a la cuarta generación de una de las familias más aristocráticas de Filadelfia. Se había educado en un internado suizo y más tarde había asistido a la Universidad de Bryn Mawr. Sus padres vivían ahora casi permanentemente en una gran casa que poseían en Montecarlo. Hugh recordó haberlos conocido en el funeral de Nina. Habían venido desde Europa por avión para el entierro de su hija. Apenas cambiaron con Steve unas pocas palabras. Eran una pareja muy estirada, de eso no cabía la menor duda.

Esa información le bastaba a Owens para dar una opinión bastante aproximada de si se trataba de la voz de Nina o de una imitación. Hugh estaba seguro de cuál sería la respuesta.

Habían limpiado la autopista Merritt y, aunque seguía nevando, el recorrido fue menos peligroso de lo que Steve esperaba. Temía que el secuestrador renunciara a encontrarse con él si la huida había de resultarle arriesgada. Ahora estaba casi seguro de que se atrevería a establecer contacto.

Se preguntaba por qué le habría hecho Hugh todas esas preguntas acerca de Nina. Al parecer sólo quería saber unos cuantos hechos básicos. «¿En qué universidad estudió su mujer, Peterson? ¿En qué colegio se educó?» «Estudió en Bryn Mawr.» Se habían conocido cuando los dos eran ya estudiantes de especialidad. Él estaba en Princenton. Fue amor a primera vista. Cursi, pero cierto. «Ella pertenecía a la cuarta generación de una de las familias más aristocráticas de Filadelfia.» A él no le tragaban. Querían que Nina se casara con un hombre «de su misma clase», como ellos decían. Con un hombre de buena familia, de dinero, y de origen aristocrático, no con un estudiante pobre que trabajaba de camarero en la Posada de Nassau para complementar su beca, un antiguo alumno del Instituto Cristóbal Colón, del Bronx.

¡Dios mío! ¡Cómo se pusieron cuando empezaron a salir juntos! Recordaba haberle dicho a su esposa en una ocasión: «¿Cómo es posible que seas hija de esa gente?» Nina era tan graciosa, tan inteligente, tan poco pretenciosa. Se casaron nada más graduarse. Luego a él le llamaron a filas y finalmente le enviaron a Vietnam. Pasaron dos años sin verse. Al final le dieron un permiso y se encontraron en Hawai. Le pareció tan hermosa cuando la vio bajar corriendo la escalerilla del avión para refugiarse en sus brazos...

Al poco de licenciarse, empezó a estudiar en Columbia. Cuando acabó la carrera, consiguió un empleo en la redacción de *Time*, se mudaron a Connecticut y ella quedó embarazada de Neil.

Cuando nació el niño, él le regaló un «Karman Ghia» que ella recibió con una alegría más propia de un coche de la calidad de un «Rolls», que era el automóvil que su padre tenía. Vendió el «Karman» una semana después del funeral. No podía soportar verlo aparcado junto a su «Mercury» en el garaje. La noche en que la encontró muerta al volver a casa, salió a mirarlo animado por un débil rayo de esperanza. «Un día te matarás por un descuido», le había dicho. Pero el neumático nuevo remplazaba en la rueda delantera al de repuesto que ocupaba su lugar en el portaequipajes. Si Nina no se hubiera molestado en cambiarlo aquel mismo día, habría sabido que no se había tomado su enfado demasiado en serio.

Nina. Nina. Lo siento.

Sharon. Sharon le había hecho revivir. Su insensibilidad, su dolor, se habían derretido ante ella como se derrite el hielo al calor del sol en primavera. Los últimos seis meses habían sido una delicia. Empezaba a pensar que el destino le ofrecía una segunda oportunidad para ser feliz.

Tenía treinta y cuatro años, no veintidós. A esa edad uno no se enamora ya a primera vista.

¿O sí?

Aquel primer encuentro en el programa «Hoy». Al acabar la emisión, salieron de los estudios juntos y se pararon a hablar ante la puerta del edificio de la televisión. Desde la muerte de Nina no se había interesado por ninguna mujer, pero aquella mañana se encontró teniendo que vencer una fuerte resistencia a separarse de Sharon. Le esperaban para una junta y le fue imposible invitarla a desayunar. Al final no pudo por menos de decir: «Verá, tengo que irme ahora, pero, ¿podríamos cenar juntos esta noche?»

Sharon contestó que sí muy deprisa, como si hubiera estado deseando que se lo preguntara. El día le pareció interminable hasta que al fin se halló ante la puerta del apartamento de la muchacha llamando al timbre. En aquellos días sus respectivas actitudes con respecto a la pena de muerte eran más de tipo ideológico que personal. Sharon no empezó a reprocharle su posición hasta que comenzó a creer que podía salvar a Ronald Thompson.

Se hallaba en la autopista que atravesaba el condado. Sus manos actuaban con independencia de su mente seleccionando carreteras sin ayuda de su decisión consciente. ¡Sharon! Era un placer poder volver a hablar con alguien cenando en un restaurante o tomando una copa después del trabajo en su casa. Ella entendía los problemas que representaba lanzar una nueva revista, la lucha por conseguir publicidad, lectores... «No es una conversación muy propia de enamorados, pero peor podría ser...», le había dicho él una vez bromeando.

Había dejado su trabajo en *Time* para pasarse a *Events* pocos meses antes de la muerte de Nina. Con ello había corrido un riesgo. En *Time* ganaba mucho dinero. Pero en parte lo había hecho por orgullo. Iba a ayudar a crear la mejor revista del país. Sería accionista y director de una publicación importante. ¡Menuda lección iba a darle al padre de Nina! ¡Iba a tragarse sus palabras una a una!

Los padres de Nina le culparon de la muerte de su hija. «Si hubieras tenido una casa con la servidumbre y vigilancia apropiadas, no le habría pasado nada», dijeron. Habían querido llevarse a Neil a Europa con ellos. ¡Neil con ese par de imbéciles!

¡Neil! ¡Pobre criatura! De tal palo tal astilla. La madre de Steve había muerto cuando él tenía tres años. Su padre no volvió a casarse. Había sido un error. Neil creció echando en falta a su madre. Recordó cuando tenía siete años una ocasión en que su profesora estaba enferma y otra vino a sustituirla. Aquel día todos los chicos dibujaron tarjetas para el día de la madre. Al acabar las clases, cuando vio que él no guardaba la suya en la cartera, le preguntó: «No irás a dejarla aquí, ¿no? Ya verás cómo le gusta a tu mamá cuando se la des el domingo.» Él la rompió en mil pedazos y salió corriendo de la clase.

No quería que a Neil le sucediera lo mismo. Deseaba que creciera en un hogar feliz rodeado de hermanos y hermanas. Ni quería vivir tampoco él como había vivido su padre, solo, haciendo de su hijo el centro de su vida, presumiendo ante sus compañeros de oficina de que estudiaba en Princeton. Un hombre solitario en un apartamento solitario. Una mañana no se despertó. Cuando no se presentó en el trabajo, fueron a buscarle. Al rato iban a recoger a Steve al colegio.

Quizá fuera por eso por lo que durante estos últimos años había mantenido una postura tan firme con respecto a la pena capital. Porque sabía cómo vivían los ancianos pobres, lo poco que tenían. Porque le ponía enfermo pensar que cualquiera de ellos podía ser asesinado por cualquier criminal.

Había colocado la maleta con el dinero sobre el asiento delantero, a su lado. Hugh le había asegurado que los secuestradores no podían detectar el aparato electrónico. Ahora se alegraba de haberle permitido que lo instalara.

A la una y media, Steve salió de la autopista en la salida de la Calle 57. A las dos menos veinte aparcaba junto a la cabina telefónica situada ante la puerta de «Bloomingdale's». A las dos menos diez se bajó del coche y, sin reparar siquiera en el viento helado, húmedo, que azotaba las calles, esperó de pie en la cabina.

A las dos en punto sonó el timbre del teléfono. La misma voz sorda, ahogada, de la vez anterior, le ordenó que se dirigiera inmediatamente a la cabina situada en la esquina de la Calle 96 y la avenida Lexington.

A las dos y cuarto sonó dicho teléfono. La voz le ordenó a Steve que se dirigiera al puente Triborough y tomara allí la autopista Grand Central hasta la salida de la autopista Brooklyn-Queens. Que siguiera esa carretera hasta la avenida Roosevelt, doblara a la izquierda pasada la primera manzana, y aparcara inmediatamente después. Debía apagar los faros y esperar.

—Asegúrese de que lleva la suma convenida y vaya solo —dijo la voz a modo de conclusión.

Steve garrapateó frenéticamente las instrucciones y se las repitió después a su interlocutor. Apenas hubo acabado, el secuestrador colgó.

A las dos y treinta y cinco dejaba la autopista de Queens-Brooklyn en la salida de la avenida Roosevelt. A media manzana, al otro lado de la calzada, había aparcado un coche. Al pasar frente a él hizo girar ligeramente el volante con la esperanza de que las cámaras fotográficas ocultas en las ruedas fotografiaran el modelo y el número de matrícula. Luego aparcó junto a la acera y esperó.

Era una calle oscura. Las puertas y los escaparates de las míseras tiendas que se abrían a ambos lados de la calle estaban protegidos por barras y cadenas. Un paso elevado contribuía a oscurecer la calle en unión de la nieve que continuaba cayendo como una cortina y eliminaba la poca visibilidad restante.

¿Podrían localizarle los agentes del FBI por medio del aparato electrónico? ¿Y si dejaba de funcionar? No había notado que le vigilara ningún coche, pero ya le habían avisado de que no le seguirían de cerca.

Sonaron unos golpecitos en la ventana del lado del conductor. Steve volvió la cabeza y sintió una súbita sequedad en la boca. Una mano enguantada le decía por gestos que bajara la ventanilla. Hizo girar la llave del encendido y apretó el botón que hacía descender mecánicamente las ventanillas.

—No me mire, Peterson.

Pero ya había vislumbrado un abrigo marrón y un rostro cubierto por una media. Algo le cayó en el regazo. Era una bolsa de lona. Sintió una sensación de náusea en la boca del estómago. No pensaba llevarse la maleta con el aparato electrónico. Desconfiaba de él.

—Abra esa maleta y meta el dinero en la bolsa. Dése prisa.

Trató de ganar tiempo.

—¿Cómo sé que va a devolverme ilesos a mi hijo y a Sharon?

—Meta el dinero en la bolsa.

Detectó la enorme tensión que revelaba aquella voz. El hombre estaba extremadamente nervioso. Si el miedo le impulsaba a huir sin el dinero, era muy posible que matara a Sharon y a Neil. Con manos temblorosas, Steve sacó los fajos de billetes de la maleta y los fue metiendo en la bolsa de lona.

—Ciérrela.

Ató las cuerdas fuertemente.

Miró hacia delante.

—¿Y mi hijo y Sharon?

Unas manos enguantadas se introdujeron en el coche a través de la ventanilla y le arrebataron la bolsa. Los guantes. Trató de no mirarlos. Bastos. Una imitación barata de piel de color gris o marrón oscuro. Grandes.

La manga del abrigo estaba raída. Unas cuantas hilachas colgaban del puño.

—Le vigilan, Peterson. —La voz del secuestrador sonaba tensa, casi temblorosa—. Quédese aquí un cuarto de hora más. Recuérdelo. No se mueva en quince minutos. Si nadie me sigue y me ha dado la suma convenida, le diré dónde puede recoger a su hijo y a Sharon a las once y media.

¡A las once y media! La hora exacta de la ejecución de Ronald Thompson.

—¿Tiene usted algo que ver con la muerte de mi mujer? —estalló Steve.

No hubo respuesta. Esperó unos segundos y volvió después la cabeza con cautela. El secuestrador había desaparecido. Un coche arrancaba al otro lado de la calle.

Según su reloj eran las dos treinta y ocho. El encuentro había durado menos de tres minutos. ¿Le vigilarían? ¿Habría alguien observándole desde el tejado de alguno de aquellos edificios, listos para informar de sus movimientos? El FBI no contaba para localizar al secuestrador con el aparato que habían instalado en la maleta. ¿Debía arriesgarse a arrancar antes de tiempo?

No.

A las dos y cincuenta y tres, Steve dio una vuelta completa y se dirigió a Manhattan. A las tres y diez se hallaba en el cuartel general del FBI situado en la esquina de la Calle 79 y la Tercera Avenida, en el corazón de Manhattan. Unos cuantos agentes de gesto adusto corrieron hacia su automóvil y comenzaron a desmontar los faros. Hugh escuchó gravemente sus explicaciones mientras subían en el ascensor hasta el piso número doce. Allí le presentó un hombre con el cabello blanco como la nieve y una exprsión de inteligencia que no lograban ocultar unas grandes gafas ahumadas.

—John ha escuchado la casete —explicó Hugh—. Por el sonido de las voces y el grado del eco, deduce que Sharon y Neil se hallan en una habitación casi vacía, muy fría, y aproximadamente, de unos once pies de largo por veintitrés de ancho. Puede que se trate del sótano de un almacén. A lo lejos se oye continuamente el ruido de trenes que llega desde una estación cercana.

Steve le miraba mudo.

—Dentro de poco podré concretar mucho más —dijo el agente ciego—. No crea que hay en esto nada de magia. Se trata sólo de escuchar con la misma intensidad con que se estudia una muestra al microscopio.

«Una habitación casi vacía, muy fría», un almacén posiblemente. Steve miró a Hugh acusador.

—¿Qué me dice usted ahora de su teoría según la cual Sharon había planeado todo esto?

—No lo sé —replicó Hugh sencillamente.

—Señor Peterson, esa última voz en la casete... —La voz de John Owens revelaba cierta duda—. ¿Por casualidad su mujer habló francés antes que inglés?

—No, en absoluto. Creció en Filadelfia hasta que la mandaron a un internado en Suiza a los diez años. ¿Por qué?

—Hay algo en la entonación de esa voz que sugiere que no fue el inglés la primera lengua que habló.

—¡Un momento! Nina me dijo una vez que había tenido una niñera francesa y que de pequeña pensaba en francés y no en inglés.

—A eso exactamente me refería. Entonces no se trata de un impostor. No es ninguna imitación. Usted no se equivocó al identificar la voz de su mujer.

—Está bien. He cometido un error —dijo Hugh—. Pero John dice que esa última parte la añadieron a la casete después de grabar las voces de Sharon y de Neil. Piense usted, señor Peterson. El que ha planeado todo esto sabe mucho de usted. ¿Ha estado alguna vez en una fiesta donde alguien pudo filmar una de esas películas familiares, donde alguien pudo grabar la voz de su esposa para luego entresacar estas palabras?

Le resultaba tan difícil concentrarse... Steve frunció el ceño.

—Ya sé. En el Club de Campo. Cuando lo renovaron y lo decoraron de nuevo hace cuatro años, hicieron una película para no sé que asociación filantrópica. Nina se encargó de la narración. Iba de habitación en habitación explicando los cambios que se habían hechos en cada una.

—Parece que al fin vamos por buen camino —dijo Hugh—. ¿Pudo decir esas palabras durante la narración?

—Posiblemente.

Sonó el teléfono. Hugh descolgó el auricular. Se identificó y escuchó atentamente.

—Bien. Que sigan trabajando en ello.

Colgó de golpe. Tenía el aspecto de un cazador que husmea el rastro del animal.

—Las nieblas empiezan a disiparse, señor Peterson —dijo—. Ha conseguido usted una foto muy clara de la matrícula y del coche. Estamos tratando de identificarlo.

¡La primera esperanza que se le ofrecía! Entonces, ¿por qué seguía sintiendo aquel nudo en la garganta? Demasiado fácil, le decía interiormente una voz. No averiguarían nada.

John Owen volvió la cabeza hacia el lugar de donde procedía la voz de Steve.

—Señor Peterson, sólo una pregunta. Mi impresión es que, si realmente se trata de su esposa, dijo estas palabras mientras abría una puerta. ¿Recuerda usted alguna que haga al abrirse un sonido ligero, una especie de *irrrk?*

Hugh y Steve se miraron. Era una tomadura de pelo, pensó Steve. Una farsa. Demasiado tarde para todos.

Hugh contestó en su lugar.

—Sí, John. Ese es exactamente el ruido que hace al abrirse la puerta de servicio de la casa del señor Peterson.

35

Arty se alejó en su coche de la taberna «El Molino». Algo bullía en su interior enviando señales de alarma a todo su cuerpo, disolviendo esa eufórica sensación de infalibilidad de que había disfrutado hasta el momento.

Había contado con encontrar a Bill Lufts en el bar. Le habría sido muy útil sonsacarle. «¿Y dices que el chico no está en su casa? Pues, ¿dónde está? ¿Cómo se encuentra Peterson? ¿Ha recibido muchas visitas últimamente?».

Creía que Steve no admitiría ante los Lufts que Neil y Sharon habían desaparecido. Seguramente sabía que lo contaban todo a diestra y siniestra.

Si Bill no había ido al bar esta noche, era porque Peterson había llamado a la policía, mejor dicho, al FBI.

Ese hombre que había dicho llamarse Peter Lerner, el que había hecho tantas preguntas, era un inspector del FBI. Estaba seguro.

Hizo girar el volante del Volkswagen de color verde y enfiló la autopista Merrit en dirección al sur. La angustia le cubría de sudor frío la frente, los sobacos y las manos.

Su memoria retrocedió doce años. Le interrogaban en el cuartel general del FBI de Manhattan.

—Vamos, Arty. El chico de los periódicos te vio alejarte con la muchacha. ¿Adónde la llevaste?

—La acompañé hasta un taxi. Me dijo que la esperaba un hombre.

—¿Quién?

—¿Cómo quieren que lo sepa? Yo la ayudé a llevar la maleta, eso es todo.

No pudieron probar nada, pero lo intentaron, ¡Dios si lo intentaron!

—¿Y qué nos dices de las otras chicas, Arty? Mira, echa un vistazo a esas fotografías. Siempre estás merodeando por la terminal de autobuses del puerto. ¿A cuántas has llevado la maleta?

—No sé a qué se refieren.

Se habían acercado demasiado. Corría peligro. Por eso se había ido de Nueva York. Decidió establecerse en Connecticut y consiguió empleo en una gasolinera. Hacía seis años, había abierto un taller de reparaciones en Carley.

Arizona. Había metido la pata. ¿Por qué había tenido que decir que Rhode Island no era Arizona? Probablemente, el tipo que decía llamarse Peter Lerner no se había dado cuenta siquiera, pero aun así había sido un error.

No tenían nada contra él a menos que volvieran atrás, a menos que investigaran y averiguaran lo del interrogatorio acerca de la chica de Texas. «Ven a mi apartamento del Village —le había dicho él—. Tengo amigos pintores que siempre están buscando modelos guapas».

Pero en aquella ocasión no habían encontrado pruebas. Lo mismo que en ésta. Tampoco ahora había dejado el menor rastro.

Estaba seguro de ello.

—¿Es aquí dónde vives? —le había preguntado ella—. ¿En esta pocilga?

La autopista Merrit iba a morir en la del río Huntchison. Siguió las indicaciones que dirigían al puente de Throgs Neck. Tenía un plan muy ingenioso. Robar un coche era siempre arriesgado. Cabía la posibilidad de que el dueño regresara antes de diez minutos y de que la Policía recibiera el aviso antes de que el autor del delito se hubiera alejado siquiera cinco millas. Sólo se debía robar un coche cuando se estaba seguro de que el dueño del vehículo iba a tardar en volver, de que estaba sentado, por ejemplo, en la butaca de un cine viendo una película estrenada hacía treinta años, o en el asiento de un avión que despegaba hacia alguna ciudad lejana.

En el puente de Throgs Neck habían encendido las luces de precaución. Hielo. Viento. Pero no importaba. Él conducía muy bien y los cobardes se quedarían en casa, lo que le haría más fácil el regreso.

A las once y veinte llegaba al aeropuerto de La Guardia y entraba en el aparcamiento número cinco, que tenía tarifas especiales para estancias que durasen varios días.

Cogió el ticket que asomaba de la máquina. La barrera se levantó. Entró lentamente en el recinto teniendo buen cuidado de ocultarse a la vista del cajero que se hallaba en el interior de su garita situada a la salida del aparcamiento, muy cerca de la entrada automática. Aparcó en un espacio vacío de la sección número nueve, entre un Chrysler y un Cadillac y detrás de una camioneta Oldsmobile. Entre todos aquellos vehículos, el Volkswagen prácticamente desaparecía.

Se arrellanó en el asiento y esperó. Pasaron cuarenta minutos. Entraron dos coches, rojo fuego el uno y el otro una rubia amarilla. Ambos demasiado llamativos. Se alegró al ver que pasaban de largo junto a los espacios vacíos que quedaban cerca de él y continuaban hacia la sección de la izquierda.

En aquel momento se acercaba lentamente otro automóvil, un Pontiac azul marino que aparcó a tres espacios de donde él se hallaba. Los faros se apagaron. Bajo su atenta mirada, el conductor descendió del vehículo, abrió el portaequipajes y sacó de él una enorme maleta. Era evidente que se disponía a pasar fuera unos cuantos días.

Acurrucado en el interior del Volkswagen, asomándose lo menos posible por encima de la base del parabrisas, vio como el hombre cerraba el portaequipajes con un golpe seco, recogía la maleta y se acercaba a la parada del autobús del aeropuerto que había de conducirle hasta el edificio de la terminal. A los pocos minutos llegó el autobús. La silueta subió a él y el vehículo arrancó.

Lentamente, sin ruido, bajó del Volkswagen y miró a su alrededor. No se aproximaba ningún coche. Dio unas cuantas zancadas y se halló junto al Pontiac. Con la segunda llave que probó, logró abrir la portezuela. Ya se hallaba dentro del automóvil.

Aún estaba caliente. Hizo girar la llave del encendido y el motor empezó a funcionar silenciosamente. El depósito de gasolina estaba casi lleno.

Perfecto.

Ahora tendría que esperar. Dado el tipo de aparcamiento, el guarda sospecharía si le entregaba el tícket antes de al menos dos horas. Además tenía tiempo de sobra y quería pensar. Se echó atrás en el asiento y cerró los ojos. La imagen de Nina cruzó por su mente tal como la viera aquella primera noche.

Él había salido a la carretera sabiendo que no debía hacerlo, que era demasiado pronto desde lo de Jean Carfolli y la señora Weiss, pero incapaz de dominarse. Y de pronto la vio. El Karman Ghia estaba aparcado en la carretera siete, en un lugar solitario y silencioso. La luz de sus faros iluminaba un cuerpo de baja estatura pero esbelto. El cabello oscuro, unas manos pequeñas que luchaban por armar el gato, los ojos castaños enormes que le miraron sorprendidos cuando él aminoró la marcha y se detuvo junto a ella. Probablemente había oído hablar de los crímenes de la carretera.

—¿Puedo ayudarle, señorita? Eso que a usted le resulta tan difícil es mi especialidad. Soy mecánico.

La preocupación desapareció de los ojos castaños.

—¡Estupendo! —dijo ella—. No me importa confesarle que estoy un poco nerviosa. ¡Vaya sitio en que se me ha ido a pinchar una rueda!

Él no la miraba. Tenía la vista fija en el neumático. Como si ella no existiera, como si tuviera novecientos años.

—Ha sido un cristal. No es nada.

En poco tiempo, sin ningún esfuerzo, cambió la rueda. Menos de tres minutos le llevó toda la operación. La carretera estaba desierta. Cuando acabó se puso en pie.

—¿Cuánto le debo?

Vio el bolso abierto, el cuello femenino inclinado sobre él. Los senos que se elevaban y descendían bajo el abrigo de ante. Aquella mujer tenía categoría. Se notaba a la legua. No era una niña asustada como Jean Carfolli, ni una bruja deslenguada como la señora Weiss. Era una mujer hermosa que le estaba muy agradecida. Levantó una mano para posarla sobre el pecho femenino.

Una luz que provenía de entre los árboles que se alzaban al otro lado de la carretera, les iluminó a los dos. Era un coche de la Policía. Llevaba una luz apagada en el techo.

—Cobro tres dólares por cambiar una rueda —dijo apresuradamente—. Y puedo arreglarle el neumático si quiere. —Ahora tenía la mano metida dentro del bol-

190

sillo—. Me llamo Arty Taggert y tengo un taller de reparaciones en Carley, en la calle Monroe, a una milla de la taberna «El Molino».

El coche-patrulla se acercaba. Se detuvo junto a ellos. Uno de los agentes descendió de él.

—¿Está usted bien, señora? —miró a Arty de un modo raro, como si sospechara de él.

—Muy bien, agente. He tenido mucha suerte. El señor Taggert que es vecino mío acertó a pasar en el momento en que se me acababa de pinchar una rueda.

Lo dijo como si le conociera. ¡Vaya suerte había tenido! La expresión del policía cambió.

—Puede darse por afortunada de que le haya ayudado su amigo. Es muy peligroso para una mujer quedarse parada en medio de la carretera en estos días.

El policía volvió a subir al auto-patrulla pero se quedó vigilándoles desde el interior.

—Entonces, ¿me arreglará usted el neumático? —preguntó ella—. Me llamo Nina Peterson. Vivimos en la calle Driftwood.

—Desde luego. Se lo haré encantado.

Volvió a su coche con actitud indiferente, natural, como si se tratara sólo de un trabajillo más, como si no le obsesionara ya la idea de volver a verla. Por el modo en que ella le había mirado se había dado cuenta de que lamentaba que les hubieran interrumpido. Pero ahora tenía que irse antes de que la Policía empezara a pensar en Jean Carfolli y en la señora Weiss, antes de que le preguntaran: «¿Tiene usted la costumbre de detenerse a ayudar a mujeres que viajan solas?»

Por eso se había ido. A la mañana siguiente, cuando estaba pensando en llamarla, le llamó ella.

—Mi marido se ha puesto furioso conmigo por conducir con la rueda de repuesto —le dijo y su voz sonaba cálida, íntima y divertida como si se tratara de una broma cuyo secreto sólo ellos conocieran—. ¿Cuándo puedo recoger la rueda?

Pensó a la mayor velocidad posible. La calle Driftwood estaba en un barrio tranquilo donde las casas no estaban demasiado cerca unas de otras. Dejarla venir a su garaje podía ser muy arriesgado.

—Tengo que salir ahora mismo para hacer un trabajo —mintió—. Se la llevaré esta tarde hacia las cinco.

—¡Estupendo! —dijo ella—. No me importa la hora con tal que la rueda esté en su sitio cuando vaya a buscar a mi marido a la estación a las seis y media.

Aquel día lo pasó tan nervioso que apenas pudo pensar. Fue a la peluquería a cortarse el pelo y se compró una chaqueta de sport a cuadros. Cuando volvió al taller no pudo seguir trabajando. Se duchó, se vistió, y mientras esperaba a que llegaran las cinco escuchó algunas de las casetes. Luego colocó una nueva en el magnetofón no sin antes escribir sobre ella, «Nina». Se aseguró de que la máquina de fotos estaba cargada con un carrete nuevo y reflexionó sobre el placer que constituía revelar fotografías viendo cómo se formaban las imágenes poco a poco sobre el papel.

A las cinco y diez salió en dirección a la calle Driftwood. Dio unas cuantas vueltas antes de decidirse a aparcar entre los árboles que había detrás de la casa. Por si acaso...

Caminó junto a la orilla del canal. Recordó cómo el agua lamía aquel día la arena con un sonido íntimo que despertaba en él una sensación cálida aun en medio del frío de la noche.

El Karman estaba aparcado detrás de la casa. Tenía las llaves puestas. A través de la ventana de la cocina vio a Nina. Sacaba unos paquetes de unas bolsas y los colocaba en los armaritos. La bombilla no tenía globo y la luz era intensa. Nina estaba muy hermosa con su jersey azul pálido, unos pantalones, y un pañuelo atado al cuello. Cambió la rueda aprisa, atento a toda señal que pudiera indicar que había alguien más en la casa. Sabía que harían el amor, que ella le deseaba también secretamente. Con lo que le había dicho acerca de su marido quería darle a entender que necesitaba el cariño de un hombre. Puso la grabadora en marcha y comenzó a susurrar sus planes para hacer feliz a Nina cuando pudiera decirle lo que sentía por ella.

Se aproximó a la entrada de servicio y llamó con unos golpecitos suaves. Ella se acercó a la puerta apresuradamente. Parecía asustada, pero cuando él le mostró las llaves del coche, sonriendo, a través del cristal, Nina le sonrió también y le abrió la puerta con gesto invitador. Su voz le rodeó como unos brazos cálidos animándole a entrar, alabándole su amabilidad.

Luego le preguntó cuánto le debía. Él levantó la mano enguantada (naturalmente se había puesto guantes) y apagó la luz de la cocina. Tomó el rostro de Nina entre las manos y la besó.

—Págame así —susurró.

Ella le respondió con una bofetada que le dejó asombrado. Parecía imposible que una mano tan pequeña pudiera tener tanta fuerza.

—¡Fuera de aquí! —le dijo escupiendo las palabras. Como si él no fuera más que un montón de basura, como si no le hubiera hecho un favor.

Le cegó la ira. Como las otras veces. Como le ocurría siempre que le rechazaban. Debía haber tenido más cuidado, no empujarle hasta ese extremo. Alargó las manos hacia ella queriendo lastimarla, sacarle su maldad de dentro, pero ella logró escaparse, huir al interior del salón. No profirió un solo grito. Luego entendió por qué. No quería que supiera que el niño estaba en casa. Corrió a la chimenea y cogió el atizador.

Él rió. Le dijo en voz baja lo que iba a hacer con ella. Le sujetó las dos manos con una de las suyas y puso el atizador en su sitio. Luego tiró de las dos puntas del pañuelo hasta que de su garganta surgió una especie de gorgoteo y se asfixió y sus manos de muñeca ondearon en el aire y cayeron después desfallecidas, hasta que sus grandes ojos castaños se abrieron de par en par y le miraron con mirada vidriosa y acusadora, hasta que su rostro se tornó azul.

Se apagó el sonido que surgía de su garganta. Él la sostenía con una mano mientras le hacía una fotografía con la otra. Pensaba cuánto deseaba que se cerraran aquellos ojos cuando oyó de nuevo tras él aquel sonido de asfixia, aquel gorgoteo.

Se volvió. Un niño le miraba de pie desde el vestíbulo. Sus enormes ojos castaños le traspasaban. El pequeño jadeaba como había jadeado su víctima.

Era como si no la hubiese matado, como si ella se hubiera pasado al cuerpo del niño para castigarle, para mofarse de él, para vengarse.

Cruzó la habitación. Haría que ese ruido cesara, que esos ojos se cerraran. Abrió las manos, se inclinó sobre el niño...

En ese momento sonó el timbre.

Tuvo que echar a correr. Cruzó el vestíbulo, entró a la cocina y salió por la puerta trasera en el momento en que el timbre sonaba por segunda vez. En el espacio de unos pocos segundos cruzó el pequeño bosque, subió a su coche y volvió a su taller. «Cálmate. Tranquilo», se dijo. Se fue a la taberna a tomar una hamburguesa y una cerveza y allí seguía cuando la noticia del asesinato circuló por toda la población.

Pero tenía miedo. ¿Y si el policía del auto-patrulla reconocía a Nina por la fotografía publicada en el periódico y se le ocurría decir: «Es curioso. Yo vi a esta mujer anoche en la carretera. Le estaba cambiando una rueda un tipo llamado Taggert»?

Decidió marcharse, pero cuando estaba haciendo el equipaje oyó en la radio que una testigo, vecina de la víctima, había sido arrojada al suelo por un muchacho que huía de la casa de los Peterson, un muchacho que había resultado ser un tal Ronald Thompson, de diecisiete años de edad y vecino de Carley, el cual había sido visto hablando con la señora Peterson pocas horas antes del crimen.

Arty guardó la máquina de fotos, la grabadora, las fotos y las casetes en una caja de metal que enterró bajo un arbusto detrás de su taller. Algo le decía que esperase.

Al poco tiempo detenían a Thompson en un motel de Virginia y el niño le identificaba de forma clara como el asesino.

Había tenido suerte. Una suerte increíble. El salón estaba a oscuras. Neil no le había visto bien la cara y

Thompson había entrado en el momento en que él salía por la puerta de atrás.

Había querido matar al niño, se había acercado a él, pero al parecer éste se hallaba en estado de shock. Pero, ¿podría recordar cualquier día?

Esa posibilidad le perseguía hasta en sueños. Aquellos ojos le seguían a lo largo de noches intranquilas. A veces se despertaba de madrugada sudando, temblando, imaginando que esos ojos le miraban a través de la ventana, que el viento se asfixiaba con ese mismo gorgoteo angustioso.

Desde entonces no había vuelto a salir de noche en busca de mujeres. Nunca más. Iba a la taberna. «El Molino» por las noches y charlaba con los habituales, especialmente con Bill Lufts. Bill hablaba mucho de Neil.

Hasta el mes pasado no había vuelto a salir a las carreteras. Hasta que algo incontrolable le obligó a desenterrar las casetes y escucharlas otra vez.

Aquella misma noche oyó en la radio de su coche a Bárbara Callahan pidiendo socorro y fue en su búsqueda. Dos semanas después acudió también junto a la señora Ambrose que pedía a través de su radio indicaciones porque se estaba quedando sin gasolina.

Ahora el condado de Fairfield estaba de nuevo horrorizado. Buscaba a ese criminal que los periódicos llamaban «el asesino de la banda civil». «No has dejado ningún rastro», se dijo.

Pero ahora, tras las dos últimas muertes, soñaba con Nina todas las noches. Ella le acusaba. Para colmo, hacía un par de semanas Bill Lufts había ido a su taller en su coche. Neil iba sentado junto a él en el asiento delantero y se le había quedado mirando.

Entonces fue cuando supo que antes de irse de Carley tenía que matar a Neil y un día en que Lufts le habló de la cuenta existente en un banco a nombre del niño (su esposa había visto el estado de cuentas sobre el escritorio de Peterson), vio claramente cómo conseguir el dinero que tanto necesitaba.

Cuanto más pensaba en Nina más odiaba a Steve

Peterson. Él había podido tocarla sin que ella le abofeteara, era un periodista famoso, tenía criados que se ocupaban de él, una novia guapa. Pero ya vería...

Aquel cuarto de Grand Central había estado siempre presente en su pensamiento. Era un buen escondite si es que algún día llegaba a necesitarlo, un lugar donde esconder a una mujer sin temor a que nadie pudiera hallarla.

Cuando trabajaba en aquel cuarto, le obsesionaba la idea de volar algún día la estación. Pensaba con placer en el miedo y la sorpresa de la gente cuando la bomba estallara, cuando sintieran que el suelo se abría bajo sus pies y los techos se les venían encima. Todas aquellas gentes que le ignoraban cuando él se mostraba amable con ellos, que nunca le sonreían, que pasaban apresuradamente junto a él, que le traspasaban con la mirada, que comían en esos platos que él tenía que lavar y los dejaban llenos de salsa, de conchas vacías, de la grasa que rezumaba la ensalada, de mantequilla...

Pero al fin todo había encajado en un gran esquema. Su plan. El plan de August Rommel Taggert. El plan de un zorro.

Sólo lamentaba que Sharon tuviera que morir. Ojalá le hubiera amado. Pero en Arizona encontraría mujeres cariñosas. Sería rico.

Había sido una idea magnífica. Sharon y Neil morirían en el momento en que Ronald Thompson fuera electrocutado. Él los ejecutaría a los dos y Thompson merecía morir por haberle interrumpido aquella noche.

Y todas aquellas gentes de Grand Central... Toneladas de cascotes caerían sobre ellos. Así sabrían lo que era sentirse asfixiado.

Y él estaría libre.

Pronto. Muy pronto habría terminado todo.

Arty frunció el ceño al darse cuenta de la hora que era. Siempre le pasaba lo mismo cuando se ponía a pensar en Nina. Había llegado el momento de partir.

Puso en marcha el «Pontiac». A las dos menos cuarto llegaba ante la garita del cajero del aparcamiento y le entregaba el tícket que había recogido a la entrada. El empleado parecía medio dormido.

—Dos horas y veinticinco minutos. Dos dólares.

Salió del aeropuerto y se dirigió a una cabina telefónica de la Avenida Queens. A las dos en punto llamaba al teléfono público situado ante la puerta de «Bloomingdale's». Cuando Peterson respondió, le dijo que acudiera a la cabina de la Calle 96.

Tenía hambre y le quedaban sólo quince minutos.

En un pequeño restaurante de los que permanecían abiertos toda la noche se tomó apresuradamente una taza de café y una tostada sin dejar de mirar el reloj.

A las dos y cuarto llamó al teléfono de la cabina de la Calle 96 y le dijo a Peterson las instrucciones necesarias para que se dirigiera al lugar exacto que había seleccionado para el encuentro.

Ahora llegaba el momento más peligroso.

A las dos y veinticinco partió para la Avenida Roosevelt. Las calles estaban casi desiertas. No se veía ni rastro de coches de la Policía. Él los había reconocido por muy inadvertidos que quisieran pasar. Dominaba mejor que nadie el arte de patrullar las carreteras sin parecer sospechoso.

La semana anterior había decidido seleccionar la Avenida Roosevelt como escenario del encuentro. Había calculado minuto a minuto el tiempo que le llevaría regresar desde allí al aeropuerto de «La Guardia». Exactamente seis minutos. Si la Policía acudía en seguimiento de Peterson, tenía un gran porcentaje de posibilidades de escapar.

A causa del paso elevado, la Avenida Roosevelt estaba flanqueada por pilares de cemento que dificultaban la visión de lo que ocurría en la acera de enfrente o una manzana más adelante. Era el lugar ideal para un encuentro de aquella especie.

Exactamente a las dos treinta y cinco, aparcó en la Avenida Roosevelt a menos de media manzana de distancia del acceso a la autopista de Brookly-Queens.

A las dos y treinta y seis vio acercarse los faros de

un coche que procedía de la autopista. Al punto se tapó el rostro con una media.

Era el «Mercury» de Peterson. Por un segundo pensó que se le echaba encima pues las ruedas giraron hacia su coche. ¿O estaría haciendo una fotografía del «Pontiac»? Si creía que iba a servirle de algo...

El automóvil de Peterson se detuvo casi paralelamente al suyo junto al bordillo de la acera opuesta. Tragó saliva nerviosamente. La calle estaba desierta. Tenía que actuar con rapidez. Cogió la bolsa de lona. En una revista de electrónica había leído que la Policía solía colocar en las maletas que contenían el dinero de los rescates unos aparatitos que emitían una señal. No podía correr ese riesgo.

Aquella bolsa de lona vacía que pronto contendría el dinero, resultaba reconfortante al tacto. Bajó del coche y cruzó la calle sin ruido. Sesenta segundos más y se hallaría a salvo. Llamó al cristal de la ventanilla de Peterson y le hizo señas para que la bajara. Luego miró al interior del vehículo. Iba solo. Arrojó la bolsa sobre sus rodillas.

La débil luz de las farolas proyectaba sobre el coche las sombras de los pilares. Con una voz sorda, un susurro previamente ensayado, le dijo a Peterson que no le mirase y que introdujera el dinero en la bolsa de lona.

Peterson no opuso resistencia. Parapetados tras la máscara de nylon, los ojos de *Zorro* recorrían la zona. Sus oídos estaban atentos al mínimo ruido. No se oía venir a nadie. Estaba seguro de que la Policía había seguido a Peterson, pero probablemente querían estar seguros de que tenía lugar el encuentro.

Vio cómo Peterson introducía el último fajo de billetes en la bolsa. Le ordenó entonces que la cerrase y se la diese. La sopesó avaramente. Siempre en voz baja advirtió a Steve que esperase quince minutos y le aseguró que podría recoger a Sharon y a Neil a las once y media de aquella mañana.

—*¿Tiene usted algo que ver con la muerte de mi esposa?*

La pregunta le pilló de sorpresa. ¿Estarían empe-

198

zando a sospechar? Tenía que huir. Transpiraba. Gruesas gotas de sudor empapaban el traje bajo el abrigo marrón y mantenían calientes las plantas de sus pies a pesar de aquel viento helado que mordía sus tobillos.

Cruzó la calle y volvió a subir al «Pontiac». ¿Se atrevería Peterson a seguirle?

No. Seguía inmóvil dentro del coche oscuro y silencioso.

Apretó a tope el acelerador del «Pontiac», subió como una bala el pequeño ramal de acceso a la autopista Brooklyn-Queens, siguió dos minutos por un carril de la autopista hasta llegar a la de Grand Central, y se incorporó al poco tráfico que rodaba en dirección al Este. Tres minutos después llegaba al aeropuerto de «La Guardia».

A las dos cuarenta y seis sacaba un tícket de la máquina automática situada a la entrada del aparcamiento número cinco.

Noventa segundos después aparcaba el «Pontiac» en el lugar que ocupara anteriormente tal y como lo había encontrado. La única diferencia era un poco menos de gasolina y unas cuantas millas más en el contador correspondiente.

Bajó del coche, lo cerró cuidadosamente y transportó la bolsa de lona hasta el «Volkswagen» verde oscuro. Sólo cuando se encontró dentro de su automóvil tirando del cordón que cerraba la bolsa, respiró con cierta tranquilidad.

Al fin logró desatarlo. Iluminó con el haz de luz de la linterna el interior de la bolsa. Una sonrisa carente de humor, semejante a la de una carátula, se dibujó en sus labios. Cogió el primer fajo de billetes y empezó a contarlos.

Estaba todo el dinero que había pedido. Ochenta y dos mil dólares. Cogió la maleta vacía que había colocado en el asiento trasero, y comenzó a apilar los billetes en su interior ordenadamente. Llevaría consigo esa maleta en el interior del avión.

A las siete salió del aparcamiento y se fundió con el tráfico matutino que fluía hacia el centro de Nueva

York. Una vez en Manhattan, aparcó el automóvil en el garaje del «Biltmore» y subió a su habitación donde se afeitó, se duchó y pidió que le trajeran el desayuno.

36

A las cuatro en punto de la madrugada había quedado ya claro que la única pista de que disponían, el número de matrícula del coche que había usado el secuestrador, no iba a servirles de nada.

El primer golpe consistió en el hallazgo de que el automóvil estaba inscrito a nombre de Henry A. White, vicepresidente de la «Compañía Internacional de Alimentación» cuya oficina central en el país se hallaba en White Plains.

Varios agentes acudieron al domicilio de White en Scardale y montaron guardia en torno al edificio. Pero el «Pontiac» no estaba en el garaje y la casa tenía aspecto de estar vacía. Todas las ventanas estaban herméticamente cerradas y la única luz que brillaba de noche a través de las cortinas, probablemente estaba conectada a un mecanismo de relojería que la encendía y apagaba automáticamente.

El FBI se puso en contacto con el encargado de los servicios de seguridad de la compañía quien llamó al jefe de personal que a su vez avisó al director de uno de los departamento que White tenía a su cargo. Éste declaró a los inspectores con voz somnolienta que White acababa de regresar de una estancia de tres semanas en Suiza donde había visitado la oficina central de la compañía, que había cenado esa noche con dos empleados suyos en el restaurante «Pastor de White Plains», y que había partido después para reunirse con su esposa y pasar unos días esquiando en una estación invernal. Su mujer estaba ya en Aspen o en Sun Valley con unos amigos.

A las cinco, Hugh y Steve salieron para Carley. El primero iba al volante. Steve miraba fijamente a la carretera que atravesaba Wetschester en dirección a Conneticut. El tráfico era escaso. La mayoría de los americanos estaban a esa hora en la cama. Podían hablar con su mujer, comprobar si sus hijos estaban bien arropados, asegurarse de que las ventanas abiertas no creaban corrientes... ¿Estarían Neil y Sharon en un lugar frío? «¿Por qué se me ocurre pensar ahora en eso?», se dijo. Recordó vagamente haber leído en algún sitio que cuando las personas se ven imposibilitadas de controlar los acontecimientos realmente decisivos, se preocupan por los problemas más nimios. ¿Seguirían vivos Neil y Sharon? Eso era lo que debía preguntarse. «¡Dios mío, ten piedad! ¡Sálvalos! ¡Sálvalos!»

—¿Qué cree usted de ese «Pontiac»? —preguntó a Hugh.

—Lo más probable es que alguien lo haya robado de donde White lo dejara aparcado —replicó el policía.

—¿Qué vamos a hacer entonces?

—Esperar.

—Es posible que los suelte. Se lo prometió. Y usted le ha dado el dinero que él le ha exigido.

—Ha tenido tanto cuidado en no dejar ningún rastro... Ha pensado en todo. No creerá usted que al final va a soltar a dos personas que pueden identificarle, ¿no?

—No —admitió Hugh.

—¿No podemos hacer nada más?

—Si no cumple lo pactado y no los suelta, tendremos que empezar a pensar en dar publicidad al asunto. Quizás alguien haya visto u oído algo.

—¿Y qué me dice de Ronald Thompson?

—¿Qué hay de él?

—Suponga que dice la verdad. Suponga que lo averiguamos a las once y media.

—¿Qué quiere decir con eso?

—Lo que quiero decir es si tenemos derecho a ocultar el hecho de que Sharon y Neil han sido secuestrados.

—Dudo que saber del secuestro indujera a la gobernadora a reconsiderar su decisión con respecto a Thompson. No tenemos prueba alguna de que les hayan tomado como rehenes, pero aunque la gobernadora llegara a esa conclusión probablemente su reacción sería desear que la ejecución se celebrara cuanto antes. Ya la han criticado bastante por conceder dos aplazamientos de la sentencia. A esos dos chicos que condenaron a muerte en Georgia, los electrocutaron a la hora exacta. Debe haber una explicación muy sencilla para el hecho de que *Zorro* haya podido conseguir una cinta o una casete en que esté grabada la voz de su esposa, una explicación que seguramente no tiene nada que ver con el crimen.

Steve miró hacia delante. En aquel momento pasaban por Greenwich. Durante las últimas vacaciones, él y Sharon habían estado allí en una fiesta que había dado Brad Robertson. Sharon llevaba aquel día una falda de terciopelo negro. Estaba preciosa. Brad le había dicho: «Steve, si tienes dos dedos de frente, no puedes dejar escapar a esa muchacha.»

—¿No cree que la publicidad puede asustar al secuestrador?

Sabía cuál iba a ser la respuesta, pero aún así no tenía más remedio que preguntar.

—Yo diría que sí. —Las inflexiones de la voz de Hugh eran claras, nítidas—. ¿Qué está pensando, señor Peterson?

Había llegado el momento de hacer aquella pregunta. Concisa. Directamente. Sintió que se le secaba la boca. «Es sólo una corazonada —se dijo—. Probablemente es una idea absurda. Si me dejo llevar, no pararé nunca. Puede costarle la vida a Sharon y a Neil.»

Angustiado, exhausto, esperó como un nadador dispuesto a arrojarse al seno de una corriente incontrolable. Recordó a Ronald Thompson durante el juicio. Su rostro joven, asustado pero firme. «Yo no la maté. Estaba muerta cuando me presenté en la casa. Pregunten al niño...»

«¿Qué sentiría usted si se tratara de su único hijo? ¿Qué sintiría usted...?»

«Es mi único hijo, señora Thompson», pensó.

Luego empezó a hablar.

—Hugh, ¿recuerda usted lo que dijo Bob Kerner? ¿Que él pensaba que había una relación entre la muerte de Nina y la de esas cuatro mujeres?

—Oí lo que dijo y ya le dije a usted lo que pensaba. Que se está agarrando a un clavo ardiendo.

—Suponga que yo le digo que tiene razón, que existe una relación entre la muerte de Nina y esos otros asesinatos.

—*¿Qué está diciendo?*

—¿Recuerda usted lo que dijo Kerner? ¿Que lo único que no entendía era que las otras mujeres habían tenido algún tipo de contratiempo en la carretera y que Nina no? Dijo que lo que no comprendía era por qué a ella la había matado en una casa.

—Siga.

—La noche anterior a su muerte, a Nina se le pinchó una rueda. Yo tuve una reunión hasta muy tarde en Nueva York y no llegué a casa hasta pasada la media noche. A esa hora ella dormía. Pero a la mañana siguiente, cuando me llevó a la estación, noté que llevaba puesta la rueda de repuesto.

—Siga.

—¿Recuerda la transcripción que nos dejó Kerner? Según ese documento, Ronald Thompson le dijo a mi mujer algo así como que su mala suerte se había transformado en buena, y ella le contestó que tampoco ella podía quejarse porque le habían cabido en el portaequipajes todos los paquetes.

—¿Adónde quieres ir a parar?

—El portaequipajes del coche de mi mujer era muy pequeño. Si hubo suficiente espacio para todas aquellas bolsas, tuvo que ser porque no había vuelto a poner la rueda de repuesto en su sitio. Esa conversación tuvo lugar después de las cuatro. Probablemente fue directamente a casa desde la tienda. Dora había venido a limpiar ese día y declaró que Nina había llegado antes de las cinco.

—¿Neil y Nina volvieron directamente a su casa?

—Sí, y el niño subió a su cuarto y se puso a jugar con sus trenes. ¿Recuerda todos esos paquetes que había sobre la mesa de la cocina? Sabemos que Nina murió pocos minutos después de llegar a casa. Aquella misma noche fui a ver su coche. El neumático de repuesto estaba en el portaequipajes y el nuevo estaba en su lugar, en una de las ruedas delanteras.

—¿Quiere decir que alguien trajo la rueda, la cambió y después mató a Nina?

—¿Cuándo pudo cambiar la rueda si no? Y si fue así, Ronald Thompson puede ser inocente. Quizás hasta pudo asustar al criminal y hacerle huir al llamar a la puerta. Por lo que más quiera, pregunte a Thompson si estaba o no la rueda de repuesto en el portaequipajes cuando metió las bolsas de la compra en el coche. Debí darme cuenta de que era un detalle importante aquella misma noche. Pero quería olvidar que había reñido a Nina la última vez que estuve con ella.

Hugh apretó el acelerador. La aguja del velocímetro subió a sesenta, a ochenta... El automóvil se detuvo con un chirrido de frenos ante la entrada de la casa en el sombrío cielo. Hugh corrió al teléfono. Sin quitarse siquiera el abrigo marcó el número de la prisión de Sommers y exigió hablar con el director.

—No. Esperaré. —Se volvió hacia Steve—. El director ha pasado la noche en su oficina por si la gobernadora cambiaba de idea en el último momento. Están afeitando al chico.

—¡Dios mío!

—Pero aunque diga que el portaequipajes iba vacío, la afirmación no constituirá prueba suficiente. Es todo una suposición. Alguien pudo traerle la rueda, cambiarla y marcharse después. Y Thompson puede ser culpable.

—Tanto usted como yo creemos que es inocente —dijo Steve.

Confusamente pensó que siempre lo había sabido.

«¡Dios mío! ¡En el fondo de mi corazón siempre lo he creído y nunca he querido enfrentarme con la verdad!»

—Sí, sigo al aparato. —Hugh escuchó atentamente—. Muchas gracias.

Colgó el teléfono violentamente y se dirigió a Steve.

—Thompson jura que no había ninguna rueda de repuesto en el portaequipajes.

—Llame a la gobernadora —suplicó Steve—. Hable con ella. Supliquele al menos que retrase la ejecución. Déjeme hablar a mí si cree que eso puede servir de algo.

Hugh marcaba en ese momento el número de la oficina de gobierno.

—No es una prueba decisiva —dijo—. Se trata sólo de una serie de coincidencias. Dudo que acceda a suspender la ejecución. Cuando sepa que Sharon y Neil han desaparecido (y no tendremos más remedio que decírselo), pensará que se trata de un truco desesperado.

Fue imposible hablar con la gobernadora. Había dejado a cargo del asunto al fiscal general quien no llegaría a su despacho hasta las ocho en punto. No, no podían darle el número de teléfono de su domicilio privado.

No les quedaba otro remedio que esperar. Permanecieron sentados en el despacho, silenciosos, mientras una luz acuosa comenzaba a filtrarse por la ventana. Steve quiso rezar y sólo pudo repetirse: «¡Dios mío! Son tan jóvenes. Son tan jóvenes los tres. ¡Ayúdales, por favor!»

A las seis, Dora bajó las escaleras con paso inseguro. Parecía envejecida e infinitamente cansada. Empezó a preparar el café.

A las seis y media Hugh llamó a la central del FBI en Nueva York. No había ninguna pista nueva. Henry White había tomado el avión de la una de la madrugada con destino a Sun Valley. No habían logrado dar con él en el aeropuerto de esta localidad. Había partido después en un coche privado. Estaban investigando en los hoteles y en los apartamentos de la ciudad. La inspección del «Pontiac» no había dado ningún resultado. Seguían estudiando los antecedentes de los habituales de la taberna «El Molino».

A las siete y treinta y cinco el coche de Bob Kerner paraba ante la puerta de la casa. El abogado tocó el timbre furiosamente, entró apresurado apartando de un manotazo a Dora, y preguntó por qué habían interrogado a su cliente acerca de la rueda de repuesto.

Hugh miró a Steve que respondió con un gesto de asentimiento. Seguidamente explicó concisa y claramente cuál era la situación. Bob palideció.

—¿Es decir que su hijo y Sharon Martin han sido secuestrados y usted lo ha ocultado? —preguntó—. Cuando la gobernadora se entere, tendrá que suspender la ejecución. No le quedará otro remedio.

—No cuente con ello —advirtió Hugh.

—Señor Peterson, no tenía usted derecho a callar todo esto —dijo Bob amargamente—. ¡Dios mío! ¿No tenemos medio de ponernos en contacto con el fiscal antes de las ocho?

—Quedan sólo veinte minutos.

—Veinte minutos es mucho tiempo cuando le quedan a uno tres horas y cincuenta minutos de vida, señor Taylor.

A las ocho en punto, Hugh llamó al fiscal general. Habló con él durante treinta y cinco minutos. Su tono pasó de la exposición a la discusión y de la discusión al ruego.

—Sí, señor. Comprendo que la gobernadora ha concedido ya dos suspensiones. Sé que el Tribunal Supremo de Connecticut ha ratificado la sentencia... No, señor, no tenemos una *prueba decisiva*... Se trata más bien de una *suposición*... La casete... Sí, señor, le agradecería que hablara con la gobernadora... ¿Quiere usted hablar con el señor Peterson? Bien. Esperaré.

Tapó con la mano el auricular.

—Va a llamar a la gobernadora, pero al parecer no quiere recomendarle que suspenda la ejecución.

Pasaron lentamente tres minutos. Steve y Bob evitaban mirarse. Luego Hugh habló de nuevo.

—Sí, estoy aquí. Pero...

Seguía protestando cuando Steve oyó que la comunicación se cortaba al otro extremo de la línea. Hugh soltó el auricular.

—Van a llevar adelante la ejecución —dijo con voz neutra.

37

El dolor. Era difícil pensar con ese dolor que invadía todo sus cuerpo. Si pudiera al menos desabrochar la cremallera de la bota... Su tobillo se había transformado en una masa de cemento ardiente que presionaba contra el cuero de la bota, contra la cuerda que se clavaba en él.

Debió arriesgarse y gritar cuando atravesaron la estación. Habría sido preferible correr el riesgo. ¿Qué hora sería? El tiempo no existía. Debía ser la noche del lunes. Quizá ya el martes. ¿Sería la mañana del martes? Hasta podía ser ya el miércoles.

¿Cómo salir de allí?

Neil. Oía a su lado el jadeo agitado del niño. Trataba de respirar lentamente, de obedecerla. Sharon oyó sus propios gemidos y trató de contenerlos.

Notó que Neil se acurrucaba contra ella para infundirle ánimo. ¿Se parecería a Steve cuando fuera mayor? Si es que llegaba a adulto alguna vez...

Steve. ¿Cómo sería vivir con Steve, pasar la vida entera junto a él y junto a Neil? Steve, que había sufrido tanto...

Para ella todo había sido fácil. Su padre solía decir: «Sharon nació en Roma, Pat en Egipto y Tina en Hong Kong.» Y su madre: «Tenemos amigos en todo el mundo.» Aun cuando ella muriera, sus padres se tenían el uno al otro. Pero cuando Steve perdiera a Neil quedaría completamente solo. Una vez le había preguntado: «¿Cómo es que sigues soltera?» Porque no había querido aceptar la responsabilidad de amar a ningún hombre.

¡Pobre Neil! Tenía tanto miedo de que los Lufts se lo llevaran a Florida, de que ella le arrebatara a Steve... Le sacaría de allí.

De nuevo trató de frotar las muñecas contra la pared de cemento, pero las cuerdas estaban demasiado apretadas y se clavaban en su carne.

Trató de pensar. Su única esperanza era liberar a Neil, sacarle de aquella habitación. Si abrían la puerta desde el interior, ¿estallaría la bomba?

El picaporte del lavabo. Si *Zorro* volvía y la dejaba volver a entrar allí, quizá pudiera desprender el picaporte, romperlo.

¿Qué haría con ellos cuando tuviera en su poder el dinero? No podía concentrarse. Tiempo... ¿Cuánto tiempo? El tiempo pasaba... ¿Sería de día o de noche? Sonidos ahogados de trenes... Ven por nosotros, Steve... «La considero a usted responsable, señorita Martin...» Los más ciegos son los que no quieren ver... «Te quiero, Sharon. Te he echado mucho de menos...» Unas manos grandes, tiernas, sobre su rostro...

Unas manos grandes, tiernas, sobre su rostro. Sharon abrió los ojos. *Zorro* estaba inclinado sobre ella. Sus manos recorrían su cara, su cuello, con escalofriante suavidad. Le arrancó la mordaza que cubría su boca y la besó. Sus labios ardían como el hierro al rojo, húmedos, blandos... Trató de volver la cara, pero era tal esfuerzo...

Un susurro.

—Todo ha terminado, Sharon. Tengo el dinero. Ahora me voy.

Sharon trató de enfocar su visión. Los rasgos masculinos emergieron poco a poco de la niebla. Unos ojos brillantes, unas sienes palpitantes, unos labios finos...

—¿Qué vas a hacer con nosotros?

¡Cuánto trabajo le costaba hablar!

—Voy a dejaros aquí. Le diré a Peterson dónde puede encontraros.

Mentía. Como antes, como cuando había jugado con ella, engañándola. No, fue ella quien trató de engañarle y él la había empujado arrojándola contra el suelo.

—Vas a matarnos.

—Eso es, Sharon.

—Tú mataste a la madre de Neil.

—Es cierto, Sharon. ¡Ah! Me olvidaba...

Se apartó unos pasos, se inclinó y desplegó un nuevo poster.

—Voy a poner esta fotografía junto a las otras.

Algo se cernió sobre su cabeza. Neil la contemplaba con ojos que eran parte de su cuerpo tendido, un cuerpo con un pañuelo atado en torno a la garganta. Sintió un agarrotamiento en el cuello que desplazó al dolor y al mareo. De pronto adquirió una conciencia clara, absolutamente racional, de lo que estaba sucediendo. Miró a la fotografía, a los ojos brillantes, dementes, del hombre que la sostenía febrilmente entre sus manos.

Ahora la pegaba junto a las otras en la pared, sobre el catre. Lo hacía cuidadosamente, con precisión de ritual, meticulosamente.

Le miró con miedo. ¿Les mataría ahora? ¿Les estrangularía como había estrangulado a las otras mujeres?

—Voy a poner el reloj en hora —le dijo.

—¿El reloj?

—Sí. Hará estallar la bomba exactamente a las once treinta. No sentirás nada, Sharon. Pronto habrás muerto. Y Neil también. Y Ronald Thompson.

Abrió la maleta cuidadosamente, con extrema delicadeza. Sharon le vio extraer de ella un reloj, consultar el que llevaba en la muñeca, y mover las manecillas hasta que éstas marcaron las ocho treinta. Eran las ocho y media de la mañana del miércoles. Ahora movía la aguja del despertador hasta colocarla en el lugar correspondiente a las once y media. Conectaba unos cables al reloj...

Tres horas de vida.

Zorro levantó la maleta del suelo y la colocó con

sumo cuidado sobre las pilas que había junto a la puerta. La esfera del reloj quedaba directamente frente a Sharon. Las manecillas y los números fosforescían.

—¿Quieres algo antes de que me vaya? ¿Un vaso de agua? ¿Quieres que te dé un beso de despedida?

—¿Podría... podría ir al lavabo?

—Naturalmente.

Se acercó a ella, le desató las manos y la ayudó a ponerse en pie. Sharon sintió que le flaqueaban las piernas. El dolor la hizo estremecerse. Sendas cortinas negras se cernieron sobre sus ojos. No, no, no... No podía desmayarse precisamente ahora.

La dejó en el interior del oscuro cubículo, aferrada al picaporte de la puerta. Sharon hizo girar éste una y otra vez rogando interiormente para que *Zorro* no la oyera. Un ligero chasquido. El picaporte se rompió.

Sharon pasó los dedos por el extremo partido y sintió al tacto la aspereza del metal roto. Se metió el picaporte en el bolsillo de la falda y dejó la mano dentro. Así si él notaba un bulto en el bolsillo mientras la llevaba al catre pensaría que era su puño.

El truco resultó. Ahora el hombre se apresuraba, ansioso de salir de allí cuanto antes. La tendió sobre el catre y le ató las manos de nuevo. Ella logró mantenerlas un poco separadas. Las cuerdas no estaban ahora tan tensas como antes. Una mordaza volvió a cubrir sus labios.

Zorro se inclinaba sobre ella.

—Te habría querido mucho, Sharon. Y creo que tú también me hubieras amado.

Con un movimiento rápido, arrancó la venda que cubrió los ojos del niño. Neil parpadeó. Tenía los ojos hinchados, las pupilas dilatadas.

El hombre le miró directamente a los ojos. Fijó la vista después en la fotografía que acababa de pegar en la pared, y finalmente de nuevo en el niño.

De pronto se volvió hacia la puerta, apagó la luz por última vez, y salió de la habitación.

Sharon miró la esfera fosforescente. Eran las ocho y treinta y seis.

38

La cama estaba sembrada de cuartillas de papel arrugadas o rotas. Glenda empezó a hablar de nuevo.

—No, el día catorce no fui directamente al médico. Me detuve primero en la biblioteca. Apúntalo, Roger. Allí hablé con un par de personas.

—Empezaré con una hoja limpia. Ésta ya está demasiado llena. ¿Con quién hablaste en la sala de espera del médico?

Juntos repasaron detenidamente día por día todo el mes anterior. Nada lograba despertar en Glenda el recuerdo de la voz de aquel hombre que se hacía llamar *Zorro*. A las cuatro de la mañana, ante la insistencia de su esposa, Roger llamó a la oficina central del FBI y preguntó por Hugh. Éste le dijo que el encuentro había tenido lugar.

—El secuestrador ha prometido que Steve podrá recoger a Sharon y a Neil a las once y media —dijo Roger a Glenda una vez que hubo colgado el auricular.

—Pero no confían en él, ¿verdad?

—No, creo que no.

—Si la voz me resulta conocida, es probablemente porque se trata de alguien que vive por aquí y por tanto Neil debe conocerle. No le dejará escapar con vida.

—Glenda, estamos los dos tan agotados que no podemos ni pensar. Vamos a intentar dormir unas horas. Quizá luego se nos ocurra algo. El subconsciente sigue funcionando mientras uno duerme. Ya lo sabes.

—Como quieras.

Comenzó a ordenar cronológicamente las hojas de papel diseminadas sobre la cama.

Puso el despertador para las siete. La esperaban horas de sueño, de un sueño inquieto, fatigado.

A las siete, Roger bajó a la cocina a hacer un poco de té. Glenda se introdujo una tableta de nitroglicerina bajo la lengua, fue al baño, se lavó la cara, volvió a la cama, y recogió su cuaderno.

A las nueve llegó Marian. Quince minutos después, subía a ver a Glenda.

—Siento que no se encuentre bien, señora Perry.

—Gracias.

—No la molestaré. Si le parece, empezaré por hacer limpieza general de las habitaciones de abajo una por una.

—Estupendo.

—Así para el fin de semana, todo el piso bajo estará reluciente. Se nota que a usted le gusta tener la casa bien arreglada.

—Es verdad. Muchas gracias.

—Me alegro de estar aquí, de no haber tenido que desilusionarla por culpa del robo del coche.

—Mi marido me contó algo de eso.

Glenda cogió la pluma y la mantuvo en el aire esperando deliberadamente.

—Fue horrible. Acabábamos de gastarnos cuatrocientos dólares en arreglarlo. Normalmente no habríamos pagado tanto dinero en reparar un coche viejo, pero Arty es un mecánico muy bueno y mi marido dijo que valía la pena. Bueno, ya veo que está usted ocupada. No quiero molestarla. ¿Le apetece desayunar algo?

—No, muchas gracias, señora Vogler.

Marian salió cerrando la puerta tras ella. Pocos minutos después entraba Roger en la habitación.

—Llamé a mi oficina y hablé con un par de empleados. Dejé dicho que tenía un poco de gripe.

—Roger, espera un momento.

Glenda apretó el mando que ponía en funcionamiento el magnetófono. La frase que tantas veces había escuchado, volvió a llenar el cuarto. Detuvo el girar de la cinta.

—Roger, ¿cuánto tiempo hace que hiciste revisar mi coche?

212

—Poco más de un mes, creo. Bill Lufts lo llevó a ese taller de que nos había hablado.

—Sí. Y cuando estuvo listo, tú me dejaste allí camino de tu oficina. Arty se llamaba el mecánico, ¿no?

—Creo que sí. ¿Por qué?

—Porque el coche estaba ya preparado, sólo quedaba llenar el depósito de gasolina y mientras el mecánico lo llenó yo me quedé de pie junto a él. Vi que el rótulo del taller decía: «A. R. Taggert», y le pregunté si la A era de Arthur porque había oído a Bill llamarle Arty. ¡Roger! —La voz se tensó. Glenda se sentó en la cama y aferró una mano de su esposo—. Me dijo que la gente del pueblo le llamaba Arty por la A del rótulo, pero que en realidad se llamaba Agust Rommel Taggert. Yo le dije: «¿Rommel no fue un famoso general alemán?» Y él me contestó: «Sí, Rommel fue el zorro del desierto.» El modo en que dijo la palabra «zorro», y el tono de ese hombre en el teléfono... ¡Roger! Ese mecánico es *Zorro*, el que ha secuestrado a Neil y a Sharon.

Eran las nueve y treinta y uno de la mañana.

39

Se dirigía a su cuarto. Olendorf estaba de permiso y el otro vigilante no se preocupaba de ella. Lally no había podido dormir en toda la noche. Estaba enferma. Esa artritis era una tortura, pero había algo más. Algo que le carcomía en el interior. Lo sabía. Necesitaba entrar en su habitación, tenderse en su catre, cerrar los ojos...

Tenía que hacerlo.

Bajó al andén de Mount Vernon confundida entre los pasajeros que iban a tomar el tren de las ocho cuarenta, y se escurrió rampa abajo. Llevaba en la bolsa unos periódicos que le servirían de abrigo. No se detuvo a tomar un café. No tenía hambre. Sólo quería llegar a su habitación.

No le importaba que el hombre estuviera o no allí. Se arriesgaría. El sonido reconfortante de los generadores, le dio la bienvenida. El túnel estaba tan sombrío como siempre. Allí se sentía a gusto. Las suelas de goma de las playeras que calzaba amortiguaban el sonido de sus pisadas conforme se acercaba a las escaleras.

Y de pronto lo oyó.

El ruido ahogado de una puerta que se abría. La puerta de su habitación. Lally se refugió entre las sombras detrás de un generador.

Unas pisadas sordas. Alguien bajaba los peldaños de metal. El mismo hombre. Se hizo atrás apretándose contra la pared. ¿Debía enfrentarse con él? No, no... Su instinto le decía que se ocultara. Le vio detenerse, escuchar atentamente, y avanzar después con rapidez hacia la rampa. En pocos segundos habría desaparecido y ella estaría en su cuarto. Si la chica seguía allí, la obligaría a huir.

Sus dedos, rígidos a causa de la artritis, sacaron la llave del bolsillo con dificultad y la dejaron caer a sus pies con un leve chasquido.

Contuvo el aliento. ¿La habría oído el intruso? No se atrevió a mirar. Pero el ruido de pisadas se había desvanecido. No se oía regresar a nadie. Esperó diez minutos, diez minutos largos, interminables, durante los cuales trató de calmar el loco galopar de su corazón. Luego se inclinó hacia delante trabajosamente y buscó a tientas la llave. Estaba muy oscuro y sus ojos ya no eran los de antes. La sintió al tacto y dio un suspiro de alivio.

Comenzaba a enderezarse cuando notó algo en la espalda, algo estremecedoramente frío. Gimió en el momento en que el filo de acero tocó su piel. Tocó su piel y siguió avanzando tan aguda y velozmente que apenas pudo sentir el dolor cegador, el calor de la sangre que chorreaba por su espalda mientras ella caía al suelo de rodillas y luego de bruces, hacia delante. Su frente recibió el impacto de la caída. Extendió el brazo izquierdo. Mientras se hundía en la inconsciencia, su puño se cerró en torno a la llave de su habitación.

40

A las nueve y media un inspector del cuartel general del FBI telefoneó a Hugh Taylor a casa de Steve.

—Creo que tenemos algo, Hugh.

—¿De qué se trata?

—Ese mecánico, Arty. Arty Taggert.

—¿Sí?

—Hace dos años detuvieron a un tal Gus Taggert por merodear en torno a la terminal de autobuses del puerto. Sospechaban que tuviera que ver con la desaparición de un chica de dieciséis años que había huido de su casa. No pudieron encontrar pruebas, pero son muchos los que siguen creyendo que era culpable. Le interrogaron también acerca de la desaparicón de otras muchachas. Su descripción concuerda con la que tú nos has dado.

—Buen trabajo. ¿Qué más sabéis de él?

—Estamos tratando de averiguar dónde vive. Tuvo diversos trabajos en Nueva York. Fue empleado de una gasolinera del oeste de la ciudad, camarero en un restaurante de la Octava Avenida, lavó platos en La Ostrería...

—Concentraros en averiguar dónde vivía. Entérate de si tiene familia.

Hugh colgó el auricular.

—Señor Peterson, hay posibilidad de que tengamos una nueva pista. Al parecer un mecánico, cliente habitual de la taberna «El Molino», fue detenido hace doce años en relación con la desaparición de varias jóvenes. Se llama Arty Taggert.

—Un mecánico. —La voz de Steve se elevó—. ¡Un mecánico!

—Exactamente. Sé lo que está pensando. La posibilidad es muy remota, pero si alguien arregló el neumático del coche de su esposa ese día, es muy probable que ella le pagara con un cheque. ¿Tiene usted los talones cancelados o las matrices de los correspondientes al mes de enero de hace dos años?

—Sí. Voy a ver.

—Recuerde que estamos investigando todas las posibles pistas. No tenemos nada en contra de ese Arty, excepto el hecho de que le interrogaran en una ocasión hace años.

—Entiendo.

Steve se acercó a su escritorio.

Sonó el teléfono. Era Roger Perry para comunicarles a gritos la noticia de que Glenda estaba segura de que *Zorro* era en realidad un mecánico llamado A. R. Taggert.

Hugh colgó el auricular con un golpe seco e iba a descolgar de nuevo para hablar con Nueva York cuando volvió a sonar el timbre. Respondió impaciente.

—¿Diga? —Su expresión cambió. Se hizo inescrutable—. ¿Qué? Un momento. Repite.

Steve contempló a Hugh mientras los ojos de éste se convertían en dos hendiduras debido a la concentración intensa del policía. Cuando Taylor sacó la estilográfica, él le sostuvo el cuaderno. Haciendo caso omiso de los intentos del inspector por ocultar lo que escribía, leyó las palabras una por una conforme iban apareciendo sobre el papel.

«Gracias por el dinero. Está todo lo que le pedí. Ha cumplido usted su promesa y ahora yo voy a cumplir la mía. Neil y Sharon están vivos. A las once y media morirán en una explosión que tendrá lugar en el Estado de Nueva York. Encontrarán sus restos entre los escombros.»

ZORRO

—Repítelo. Quiero estar seguro de que he entendido bien. —Un momento después habló de nuevo—. Gracias. En seguida te llamo.

Colgó.

216

—¿Quién recibió la llamada? —preguntó Steve. Una insensibilidad compasiva le impedía pensar, temer...

Hugh tardó en responder un minuto que pareció interminable. Cuando al fin lo hizo, su voz sonó infinitamente fatigada.

—El dueño de la funeraria de Carley que se encargó del entierro de su mujer.

Eran las nueve y treinta y cinco de la mañana.

41

¡Si la vieja no hubiera llegado a hacer ese ruido...! Arty estaba empapado en sudor. Su traje nuevo olía mal. Lo mismo le había ocurrido la otra vez, después de...

¿Qué habría sucedido si no la hubiera oído? Debía ser ella quien había ocupado la habitación, la que había subido el catre. Eso quería decir que tenía una llave. Si no la hubiera oído, habría entrado y los habría encontrado. Habría tenido tiempo para avisar a la policía, que habría desactivado la bomba.

Recorrió apresuradamente la terminal en dirección a la galería que conducía al «Biltmore», y recogió el coche del garaje del hotel. Previamente había colocado en el portaequipajes la radio y la maleta. Enfiló East Side Drive hasta el puente de Triborough. Era el camino más corto para llegar a La Guardia. Estaba ansioso de salir de Nueva York. El avión para Phoenix partía a las diez y media.

Volvió al aparcamiento que había abandonado pocas horas antes. El recuerdo de lo bien que había resultado el encuentro con Peterson, le tranquiizó. Esta vez detuvo el «Volkswagen» lejos de la entrada, en la zona donde aparcaban los viajeros que tomaban los autobuses de la compañía Eastern. Era la más frecuentada. Había limado el número del motor y la matrícula no podía delatarle. La había arrancado hacia años de un coche ya inservible. En todo caso, pasaría al menos un mes antes de que se dieran cuenta de que el «Volkswagen» estaba allí abandonado.

Sacó del portaequipajes las dos maletas, la más ligera que contenía la ropa y las casetes, y la más pesada, la que contenía el dinero y la pequeña emisora de radio. En el coche no quedaba ya nada que pudiera constituir una pista.

Se acercó a la parada del autobús y cuando éste llegó, subió a él. Los otros pasajeros le miraron indiferentes. Creyó adivinar en su actitud un cierto desprecio. Sólo porque no iba bien vestido. Se sentó junto a una muchacha de unos diecinueve años. No pudo por menos de notar el rictus de disgusto que se dibujó en su boca, cómo se apartó ligeramente de él. La muy estúpida. Poco sabía ella que era un hombre inteligente y rico.

El autobús se detuvo ante la terminal de vuelos nacionales. Recorrió los sesenta metros de distancia que le separaban de la oficina de American Airlines. Un empleado se encargaba de facturar los equipajes. Sacó el billete del bolsillo. Estaba a nombre de Renard. Significaba «zorro» en francés. Ese era el apellido que había decidido utilizar en Arizona.

—¿Va a facturar los tres bultos, señor?

—No. Ése no.

Arrancó la maleta del dinero de manos del empleado.

—Lo siento. No creo que pueda llevar una maleta tan grande en el interior del avión.

—La necesito. —Trató de dominar la ansiedad que revelaba su voz, y continuó—: Llevo en ella documentos que tengo que consultar en el avión.

El empleado se encogió de hombros.

—Está bien. Supongo que la azafata le hará sitio en la parte posterior de la cabina si es necesario.

Eran las nueve y veintiocho y sentía hambre de nuevo. Pero antes tenía que hacer una llamada. Eligió una cabina telefónica situada al fondo de la terminal y escribió lo que quería decir para no cometer ningún error. Se imaginó la reacción de Steve Peterson cuando recibiera el mensaje.

Un hombre respondió a la llamada. Sí, era la funeraria. *Zorro* habló en voz baja.

—Quiero pedirles que se hagan cargo de un cadáver.

—Desde luego, señor. ¿Quién llama?

Su interlocutor hablaba en voz cortés, baja.

—¿Puede tomar nota de lo que voy a decirle?

—Naturalmente.

La voz de *Zorro* cambió, se hizo más ronca.

—Apunte y luego léamelo. Quiero estar seguro de que ha entendido bien mis instrucciones. —Empezó a dictar disfrutando al oír la respiración entrecortada de su interlocutor al otro extremo de la línea—. Ahora léamelo —exigió.

Una voz temblorosa le obedeció y añadió:

—¡Dios mío!

Zorro colgó. Sonreía.

Entró en la cafetería de la terminal y pidió bacon, panecillos, zumo de naranja y un café. Comió con lentitud, contemplando el trasiego de los viajeros que caminaban apresuradamente.

Comenzaba a tranquilizarse. Rió interiormente recordando la llamada de la funeraria. Había pensado avisarles de que la explosión iba a tener lugar en la ciudad de Nueva York, pero en el último momento decidió limitarse a decir que ocurriría en cualquier lugar del Estado. Se imaginaba cómo andaría a partir de ese momento la Policía. De cabeza. Así aprenderían.

Arizona, la tierra del desierto pintado.

Había tenido que mirar a los ojos del niño. Ya no tendría que seguir huyendo de ellos. Se imaginaba lo que ocurriría en la estación de Grand Central a las once y media. La onda expansiva se dirigiría hacia lo alto y el techo se derrumbaría sobre Neil y sobre Sharon. Toneladas y toneladas de cemento.

Era tan fácil fabricar una bomba como arreglar un motor. No había más que informarse, leer. Ahora el mundo entero querría saber quién era *Zorro*. Escribirían sobre él como habían escrito sobre Rommel.

Acabó de tomarse el café y se limpió la boca con la mano. A través de los ventanales veía pasar a los viajeros que corrían hacia las puertas de salida cargados con bolsas y maletas. Recordó la bomba que había estallado en La Guardia dos años antes, el día de Navidad. Cundió el pánico y cerraron el aeropuerto. Él lo había visto en la televisión.

Estaba deseando hallarse esa misma noche en un bar de Phoenix mirando en la pantalla del televisor el informe sobre la explosión de Grand Central. Lo transmitirían a todo el mundo. Pero quizá pudiera ser aún mejor si les decía a los policías dónde tenían que buscar. Eso era lo que hacían los que colocaban bombas en edificios de oficinas. Llamaban, daban una larga lista de lugares, y la Policía no sabía por dónde empezar a mirar. Evacuaban todos los edificios de la lista.

Él podía hacer algo semejante. ¿Qué les diría? Miró al exterior. La Guardia era un aeropuerto muy frecuentado. Aunque no era tan grande como el «Kennedy», estaba lleno de pasajeros que corrían de un lado para otro.

Como en la estación de Grand Central. O en la terminal de autobuses. Todos corrían. Sin hacer caso de nada. Ajenos a todo lo que no fuera llegar cuanto antes a su destino. No reparaban en nadie. No devolvían las sonrisas.

Una idea fue adquiriendo cuerpo lentamente en su cerebro. ¿Y si avisara a la Policía? ¿Y si les dijera que Sharon y Neil se hallaban junto a la bomba en un centro de comunicaciones de la ciudad de Nueva York? Eso significaría que se verían obligados a evacuar los dos aeropuertos, las dos terminales de autobuses, y las estaciones de Pensilvania y Grand Central. Mirarían bajo los asientos de la sala de espera, en cada apartado en que los pasajeros dejaban sus equipajes cerrados con llave. No sabrían por dónde empezar. Y obligarían a todas aquellas gentes, a todos esos seres desconsiderados, a evacuar los edificios, a perder sus trenes, sus aviones y sus autobuses.

Y nunca encontrarían ni a Sharon ni a Neil. Nunca. La única que sabía de la existencia de aquella habitación, era aquella vieja de la estación y él se había encargado de eliminarla. Por sí solo, con una simple llamada de teléfono, podía obligar a miles de personas a permanecer en la ciudad contra su voluntad. Peterson se creía un tipo muy importante con su revista y su cuenta corriente y su novia. Rió en voz alta. La pareja sentada a su lado le miró con curiosidad.

Llamaría inmediatamente antes de subir al avión. Pero, ¿a quién?

¿A la funeraria otra vez?

No.

¿Qué otra persona podría darse cuenta inmediatamente de que no se trataba de una broma?

¡Ya estaba! ¡Lo tenía! Sonriendo, saboreando por anticipado la reacción que iba a provocar, se tomó otro café. A las diez y doce minutos, salió de la cafetería cargado con su maleta. Esperó deliberadamente para que cuando tuviera que pasar el control de equipajes los empleados no se entretuvieran con el suyo. No les quedaría tiempo para ello. A las líneas aéreas les encanta atenerse a los horarios.

A las diez y cuarto entró en una cabina cercana a la puerta de salida número nueve, sacó del bolsillo unas cuantas monedas, y marcó un número. Cuando descolgaron el auricular al otro extremo de la línea, susurró un mensaje. Colgó después suavemente, se acercó al mostrador de las líneas aéreas, y pasó el control sin el menor contratiempo.

La luz intermitente que indicaba que los pasajeros podían subir al avión estaba ya encendida cuando avanzó desde la zona de espera a la rampa cubierta que conducía al avión.

Eran las diez y dieciséis.

42

Sentía sus ropas húmedas, calientes, pegajosas. Sangre. Se desangraba.

Iba a morir. Lally lo sabía. Lo veía claro a través de la lucecita que se extinguía lentamente en su cerebro.

La habían asesinado. El hombre que le había robado su cuarto, le había robado también la vida.

La habitación. Su habitación. Quería morir en ella, quería hallarse en su interior. El hombre no volvería. Tendría miedo. Quizá nadie la encontrara. Su tumba. Aquella habitación, el único hogar que conociera nunca, sería su sepultura. Dormiría allí para siempre arrullada por el murmullo reconfortante de los trenes. Su mente se iba aclarando, pero le quedaba poco tiempo. Lo sabía. Necesitaba entrar en su habitación.

Consciente de que tenía la llave apretada en el puño de la mano derecha, Lally trató de enderezarse. Algo se lo impedía. El cuchillo... Era el cuchillo. Tenía el cuchillo clavado en la espalda. No podía sacárselo. Empezó a arrastrarse.

Tenía que darse la vuelta. Yacía mirando en dirección opuesta a la puerta. No podía volver el cuerpo. El esfuerzo era demasiado para la poca vida que le quedaba. Despacio, centímetro a centímetro, se arrastró hasta quedar de frente hacia la puerta. Unos seis metros la separaban del primer peldaño de la escalera. ¿Podría? Lally sacudió la cabeza tratando de disipar la oscuridad que la rodeaba. Notaba que la sangre chorreaba de su boca. Trató de aclararse la garganta.

La mano derecha... Cuidado, no sueltes la llave... La mano izquierda adelante... La rodilla derecha, arrástrala... La rodilla izquierda... La mano derecha... Lo conseguiría. De algún modo lograría subir esas escaleras.

Se veía abriendo la puerta, cerrándola, arrastrándose al interior del cuarto, subiendo al catre, tendiéndose en él, cerrando los ojos... esperando...

Ya en su habitación, la muerte vendría a visitarla como una amiga. Una amiga de manos frescas y suaves.

43

«Han muerto», pensó Steve. Cuando uno está condenado, es como si estuviera muerto. Esa misma tarde, la madre de Ronald reclamaría el cuerpo de su hijo. Y esa misma tarde, los empleados de la «Funeraria Sheridan» acudirían al lugar de la explosión a recoger los restos de Sharon y del niño.

En algún lugar del Estado de Nueva York, entre los escombros...

Estaba de pie junto a la ventana. Fuera esperaban un grupo de periodistas y las cámaras de Televisión.

—Las noticias vuelan —dijo—. A los buitres de la Prensa les gustan este tipo de sucesos.

Bradley acababa de llamarle.

—Steve, ¿qué puedo hacer?

—Nada, nada. Sólo avisarme si por casualidad te tropiezas con un «Volkswagen» de color verde oscuro y un hombre de unos treinta y ocho años al volante. Probablemente habrá cambiado la matrícula o sea que ni eso nos serviría de nada. Nos queda una hora y veinte minutos. Una hora y veinte minutos solamente.

—¿Qué han hecho ustedes acerca de la amenaza de la explosión? —preguntó a Hugh.

—Hemos avisado a todas las ciudades importantes del Estado para que estén preparados para cualquier emergencia. No podemos hacer más. ¡Una explosión en el Estado de Nueva York! ¡En cualquier punto del Estado! ¿Sabe usted la superficie a vigilar que representa? Cabe la posibilidad de que se trate de un engaño, señor Peterson. Todo. La amenaza de explosión, la llamada a la funeraria...

«No podemos salvarles. Es demasiado tarde», pensó Steve. Bill y Dora Lufts habían ido a vivir a su casa a raíz de la muerte de Nina. Se habían quedado por hacerle un favor, para cuidar de Neil. Pero el defecto de Bill de hablar demasiado podía ser la causa del secuestro de su hijo y de Sharon. De su muerte. El círculo de la muerte. «¡Por favor, Señor! —se dijo—. ¡Permite que sigan viviendo! ¡Ayúdanos a encontrarles!»

Inquieto, se apartó de la ventana. Hank Lamont acababa de entrar con Bill. Repetían la historia. Steve se la sabía ya de memoria.

—Señor Lufts, usted ha hablado mucho con Arty. Por favor, trate de recordar. ¿Le ha dicho alguna vez que quisiera ir a algún sitio en concreto? ¿Le ha hablado de algún lugar especial, de México, de Alaska...?

Bill negó con la cabeza. Aquella tensión era demasiado para él. Sabía que sospechaban que Arty había secuestrado a Neil y a Sharon. Arty... Un buen muchacho, un buen mecánico. Hacía sólo un par de semanas había ido a su taller. Neil le acompañaba. Recordaba exactamente la ocasión porque aquella misma noche, el niño había sufrido un ataque de asma. Trató desesperadamente de recordar lo que había dicho Arty, pero ahora caía en la cuenta de que nunca había hablado mucho, de que sólo parecía interesarse por lo que contaba él.

Hank estaba furioso consigo mismo. Había estado con ese tipo en la taberna «El Molino». Le había invitado a una cerveza. Hasta había dicho a la central que no se preocuparan de investigar demasiado sus antecedentes. Lufts tenía que recordar algo. Hugh solía decir que un hombre siempre deja huellas. Él vio a ese hombre salir de la taberna... y no sospechó nada. Frunció el ceño. Arty había hecho una broma al despedirse. ¿Qué fue?

Bill hablaba.

—Era un tipo callado, simpático... Como le digo, nunca se metía en nada. A veces hacía alguna pregunta, como si se interesara por uno...

—Un momento —le interrumpió Hank.

—¿Qué pasa? —Hugh se volvió hacia el agente—. ¿Te acuerdas de algo?

—Quizá. Cuando Artny se fue con los otros, alguien le dijo algo de que iba a marcharse a Rhode Island sin ver a Bill.

—Ya. Y naturalmente ése se va a Rhode Island como yo a Sebastopol.

—A eso me refiero. Dijo algo más. Ese ejecutivo de la agencia de publicidad, Allan Kroeger, hizo una broma luego. Mencionó el desierto pintado, eso es.

—¿Qué dijo? —preguntó Hugh.

—Cuando le dijeron: «Lástima que no puedas despedirte de Bill Lufts», Arty dijo: «Rhode Island no es Arizona.» ¿Pudo ser un desliz?

—Pronto lo sabremos.

Hugh corrió al teléfono.

Roger entró en la habitación, puso una mano sobre el hombro de Steve y escuchó con él mientras Hugh daba en el teléfono unas cuantas órdenes rápidas que pondrían la enorme maquinaria del FBI sobre esta nueva pista.

Hugh colgó el teléfono.

—Si se dirige a Arizona, le encontraremos, señor Peterson. Eso se lo prometo.

—¿Cuándo?

El rostro de Roger tenía el mismo color ceniciento que aquella sombría mañana.

—Steve, vete de aquí —dijo—. Glenda quiere que vayas a verla. Por favor.

Steve negó con la cabeza.

—Iremos los dos —dijo Hugh vivamente—. Hank, encárgate de lo que pase aquí.

Steve meditó.

—Bueno —dijo finalmente. Y juntos se dirigieron hacia la puerta.

—Salgamos por la puerta de atrás y atravesaremos el bosque. Así podrás evitar a los chicos de la Prensa.

A los labios de Steve asomó el espectro de una sonrisa.

—De eso se trata precisamente. No quiero huir de ellos.

Abrió la puerta. Los periodistas echaron a correr

hacia él haciendo caso omiso de los agentes apostados junto a la puerta. Ante su rostro surgieron los micrófonos. Las cámaras de televisión buscaron el ángulo exacto para enmarcar su rostro tenso, fatigado.

—Señor Peterson, ¿ha sabido algo más?

—No.

—¿Cree que el secuestrador cumplirá su amenaza y matará a su hijo y a Sharon Martin?

—Tenemos motivos para creer que es muy capaz de ejercer ese tipo de violencia.

—¿Cree usted que es más que una coincidencia que la explosión vaya a tener lugar en el momento exacto de la ejecución de Ronald Thompson?

—No creo que sea coincidencia. Creo que es muy posible que el secuestrador tenga que ver con la muerte de mi esposa. He tratado de hacérselo ver así a la gobernadora, pero ella se niega a hablar conmigo. Ahora le suplico desde aquí públicamente que suspenda la ejecución de Ronald Thompson. Puede ser inocente. De hecho creo que lo es.

—Señor Peterson, ¿ha cambiado su actitud con respecto a la pena de muerte en vista de la terrible agonía que está pasando? Cuando detengan al secuestrador, ¿querrá verle ejecutado?

Steve apartó los micrófonos de su rostro.

—Quiero responder a sus preguntas. Por favor, denme oportunidad para hacerlo. —Los periodistas guardaron silencio. Steve miró directamente a las cámaras—. Sí, he cambiado de opinión. Y digo esto con plena conciencia de que muy posiblemente no volveré a ver ni a mi hijo ni a Sharon Martin. Pero aunque capturen al secuestrador demasiado tarde para salvarlos, durante estos dos últimos días he aprendido una cosa. He aprendido que ningún hombre tiene derecho a determinar en qué momento debe morir uno de sus semejantes. Creo que esa decisión es patrimonio exclusivo del Todopoderoso... —Su voz se quebró—. Sólo quiero pedirles que rueguen para que Neil, Sharon y Ronald Thompson salven sus vidas esta mañana.

Por sus mejillas rodaban lágrimas.

—Déjenme pasar.

Los periodistas le abrieron camino en silencio. Roger y Hugh corrieron tras él mientras cruzaba apresuradamente la calle.

Glenda esperaba de pie junto a la ventana. Abrió la puerta y recibió a Steve con un abrazo.

—No te contengas, hijo —le susurró quedamente—. Llora.

—No puedo dejar que mueran —dijo Steve con voz entrecortada—. No puedo perderlos.

Ella le mantuvo abrazado mientras los sollozos sacudían los anchos hombros masculinos. «Si hubiera podido recordar antes —pensó—. ¡Dios mío! He venido en su ayuda demasiado tarde.» Sintió que el cuerpo de Steve se sacudía por más que éste trataba de contener los sollozos.

—Lo siento, Glenda. Tú ya has pasado bastante... Y no estás bien.

—Estoy perfectamente —dijo ella—. Steve, quieras o no vas a tomar una taza de té y una tostada. Hace dos días que no pruebas bocado y no has dormido nada.

Sombríamente pasaron todos al comedor.

—Señor Peterson —dijo Hugh cautelosamente—. Recuerde que las fotografías de Sharon y de su hijo van a aparecer en una edición especial matutina que van a lanzar todos los periódicos. Las mostrarán también en la Televisión. Puede que alguien haya visto algo.

—¿Cree que quien los tenga en su poder los habrá paseado ante la vista de todos? —preguntó Steve amargamente.

—No, pero es posible que alguien haya visto algo raro, que haya oído alguna de las llamadas telefónicas o un comentario en un bar...

Marian llenó la tetera con agua caliente. La puerta entre la cocina y el comedor estaba abierta y oyó la conversación. ¡Pobre señor Peterson! Ahora comprendía por qué se había comportado de ese modo el día que le conoció. Estaba preocupado a causa de su pequeño y ella había tenido que ir a hablarle de él precisamente. Eso le demostraba que no se debe juzgar a la gente a la ligera. Nunca se sabe lo que llevan dentro.

Quizá cuando tomara una taza y vertió el líquido.

Steve bajó lentamente las manos. Un segundo después la tetera volaba sobre la mesa, el dorado líquido empapaba el contenido del azucarero y corría como un río humeante entre los mantelillos floreados individuales.

Glenda, Roger y Hugh saltaron de sus asientos. Sorprendidos miraron a Steve que aferraba los brazos de una Marian horrorizada.

—¿De dónde ha sacado usted ese anillo? —gritaba—. ¿De dónde lo ha sacado?

44

En la prisión estatal de Sommers, Kate Thompson se despedía de su hijo con un beso. Contempló sin ver el redondel que se abría a modo de tonsura, entre sus cabellos, y las rajas abiertas a ambos lados de los pantalones.

Sin derramar una lágrima, se dejó abrazar por aquellos brazos jóvenes y fuertes. Luego le obligó a inclinar su rostro hacia ella.

—Sé valiente, hijo mío.

Sí. Bob iba a quedarse hasta el final. Ella sabía que todo sería más fácil si se iba ahora..., más fácil para su hijo.

Salió de la prisión y echó a andar a lo largo del camino, barrido por el viento, que conducía a la ciudad. Un automóvil de la Policía se detuvo junto a ella.

—Permítanos que la llevemos, señora.

—Gracias.

Subió al coche con dignidad.

—¿Quiere que la dejemos en el hotel, señora Thompson?

—No. Déjenme en la iglesia de San Bernardo, por favor.

Las misas de la mañana habían terminado. La iglesia estaba desierta. Se arrodilló ante la estatua de la Virgen.

—Acompáñale en sus últimos momentos. Líbrame de este rencor que invade mi espíritu. Tú que renunciaste a tu Hijo inocente, ayúdame ahora a renunciar al mío...

45

Marian trató de hablar a pesar del temblor. Pero no pudo sobreponerse a la sequedad de su boca, al nudo que sentía en la garganta. La lengua le pesaba. El té le había abrasado la mano. Le dolía el dedo anular desde que el señor Peterson le arrancara el anillo con violencia.

Todos la miraban como si la odiaran. La presión de la mano del señor Peterson sobre su muñeca aumentó.

—¿De dónde ha sacado usted ese anillo? —gritaba él de nuevo.

—Lo he... Lo he encontrado...

Su voz sonó temblorosa y finalmente se quebró.

—¿Se lo ha encontrado, eh? —Hugh apartó a Steve de un empujón. Su voz vibraba de desprecio—. ¡Lo ha encontrado!

—¿Dónde?

—En mi coche.

Hugh soltó un gruñido y miró a Steve.

—¿Está seguro de que es ésta la sortija que le regaló usted a Sharon Martin?

—Totalmente. La compré en un pueblecito de México. No las hacen en serie. Mire. —Se lo arrojó a Hugh—. Pase el dedo por el aro y notará una pequeña muesca a la izquierda.

Hugh hizo lo que Steve le decía. La expresión de su rostro se endureció.

—¿Dónde está su abrigo, señora Vogler? Acompáñenos. Tenemos que interrogarla. —A continuación le dirigió las palabras de rigor—. No está obligada a responder a nuestras preguntas. Lo que diga podrá ser utilizado en contra suya. Tiene derecho a llamar a su abogado. Vámonos.

—¡Maldita sea! —exclamó Steve—. ¡No le diga que no conteste! ¿Se ha vuelto loco? Tiene que responder a sus preguntas.

Glenda se había quedado inmóvil, como si fuera de piedra. Miraba a Marian con expresión de profundo disgusto mezclado con auténtica ira.

—Usted me habló de Arty esta mañana —le dijo acusadoramente—. Me contó que les había arreglado el coche. ¿Cómo se ha atrevido? ¿Cómo puede una mujer como usted, madre de varios hijos, haber colaborado con esto?

Hugh se volvió en redondo.

—¿Le habló de Arty?

—Sí.

—¿Dónde está? —exclamó Steve—. ¿Dónde los tiene escondidos? ¡Ahora recuerdo! La primera vez que la vi me habló de Neil.

—¡Steve! Calma.

Roger le cogió del brazo.

Marian pensó que iba a desmayarse. Se había apropiado de una sortija que no era suya y ahora todos creían que tenía algo que ver con el secuestro. ¿Cómo iba a poder convencerles de que la creyeran? Estaba mareada y se la nublaba la vista. Les diría que llamaran a Jim. Tenían que llamar a Jim. Él la ayudaría. Vendría y les explicaría que les habían robado el coche y que ella había encontrado el anillo en el asiento. Tendrían que creerla. El cuarto entero comenzó a girar. Se agarró a la mesa.

Steve corrió hacia ella y llegó a punto de recogerla en sus brazos evitando así que cayera al suelo. A través de las nubes que se cernían sobre sus ojos, Marian le miró y adivinó la agonía que sufría aquel hombre. La piedad que sintió por él la tranquilizó. Se aferró a su brazo en busca de apoyo y luchó por sobreponerse al mareo que le invadía.

—Señor Peterson. —Ahora podía hablar. Tenía que hablar—. Yo no sería capaz de hacer daño a nadie. Quiero ayudarle. Encontré la sortija en nuestro coche. Nos lo robaron el lunes por la noche. Arty acababa de arreglárnoslo.

Steve miró hacia abajo, hacia aquel rostro asustado, hacia aquellos ojos llenos de franqueza. Y de pronto le alcanzó plenamente el impacto de lo que acababa de oír.

—¿Se lo robaron? ¿Les robaron el coche el lunes por la noche?

«¡Dios mío! —pensó—. ¿Habrá aún alguna posibilidad de encontrarles?»

Hugh intervino:

—Déjeme ocuparme de esto, Peterson. —Acercó una silla y ayudó a Marian a sentarse en ella—. Señora Vogler, si dice la verdad tiene que ayudarnos. ¿Hasta qué punto puede decir que conoce usted a Arty?

—No sé mucho de él. Es un excelente mecánico. Nos entregó el automóvil el domingo. El lunes fui al cine, a la sesión de las cuatro, al que está en la plaza Carley. Dejé el coche en el aparcamiento y cuando salí, antes de las siete y media, había desaparecido.

—Así que Arty sabía que estaba en perfectas condiciones —dijo Hugh—. ¿Es posible que supiera también que usted pensaba ir al cine?

—Puede ser. —Marian frunció el ceño—. Sí, ahora recuerdo. Hablamos de eso mi marido y yo en su taller mientras nos llenaba el depósito del coche con gasolina. Nos dijo que era un regalo que nos hacía porque habíamos gastado tanto dinero en el arreglo.

Glenda habló con un murmullo.

—Recuerdo que le dije que el automóvil era ancho y oscuro.

—Señora Vogler —dijo Hugh—. Lo que voy a preguntarle es muy importante. ¿Dónde encontraron su coche?

—En Nueva York. Se lo llevó la grúa de la Policía. Estaba aparcado en zona prohibida.

—¿Dónde? ¿Sabe usted por casualidad dónde lo encontraron exactamente?

Marian trató de pensar.

—Cerca de algún hotel, no sé más.

—Trate de recordar, señora Vogler. ¿Qué hotel? Puede ahorrarnos mucho tiempo.

Marian negó con la cabeza.

—No lo sé.

—¿Lo recordará su esposo?

—Sí, pero está haciendo un trabajo no sé dónde. Tendrán que llamar a la fábrica a ver si allí pueden localizarle.

—¿Cuál es la matrícula de su automóvil, señora Vogler?

Marian se lo dijo rápidamente. «¿Qué hotel?», se preguntó. Jim había hecho un comentario sobre la calle en que habían encontrado el coche. ¿Por qué? Llevaría mucho tiempo localizar a Jim, investigar en los archivos del departamento de tráfico... Tenía que hacer memoria. Su marido había dicho más o menos que habían encontrado el coche en una calle con un nombre muy fácil. No. Lo que había dicho era que la calle llevaba el nombre de una familia a la que la vida le había resultado siempre fácil.

—¡Vanderbilt! ¡La Avenida Vanderbilt! —exclamó—. ¡Eso es! Mi marido me dijo que habían encontrado el coche aparcado en la Avenida Vanderbilt, delante de un hotel. ¡El «Biltmore»!

Hugh descolgó el teléfono y llamó a la central del FBI en Nueva York. Dio una serie de órdenes con la rapidez de un rayo.

—Vuelva a llamarme en seguida.

Colgó.

—Hemos enviado un agente al «Biltmore» con la fotografía que tomaron al fichar a Taggert —dijo—. Ojalá que aún se parezca y ojalá que allí puedan decirnos algo.

Esperaron. El ambiente era de enorme tensión. «¡Por favor! —suplicó interiormente Steve—. ¡Por favor, Señor!»

Sonó el teléfono.

Hugh descolgó inmediatamente el auricular.

—¿Diga? —Escuchó y al momento exclamó—: ¡Santo Cielo! Voy para allá en helicóptero.

Colgó y miró a Steve.

—El empleado de la recepción ha identificado al hombre de la fotografía, sin lugar a dudas, como un tal Renard que llegó al hotel el sábado por la noche. Tenía un «Volkswagen» verde oscuro en el garaje del hotel. Se fue esta mañana.

—Renard es «zorro» en francés —exclamó Glenda.

—Exactamente —dijo Hugh.

—¿Estaba...? —Steve se agarró a la mesa.

—Iba solo. Pero el empleado recuerda que ha estado entrando y saliendo a las horas más inesperadas. A veces se iba por muy poco tiempo lo que nos hace sospechar que tenía ocultos a Sharon y a Neil en algún lugar del centro de la ciudad. Recuerde que John Owens captó sonidos de trenes en la grabación.

—No tenemos tiempo. No tenemos tiempo —dijo Steve amargamente—. ¿De qué nos sirve saber esto?

—Voy a ir en helicóptero hasta el edificio de la «Pan Am.». Nos permiten hacer allí un aterrizaje de emergencia. Si podemos coger a Taggert a tiempo, le obligaremos a confesar. Si no, lo mejor será centrar la búsqueda en la zona del «Biltmore». ¿Quiere venir?

Steve no se molestó en contestar. Corrió hacia la puerta.

Glenda miró el reloj.

—Son las diez y media —dijo con voz apagada.

46

El padre Kennedy escuchó la noticia sentado en el sillón de su escritorio en la rectoría de Santa Mónica. Meneó levemente la cabeza recordando la expresión de angustia del rostro de Steve Peterson cuando éste había recogido el paquete en la iglesia la noche anterior. Ahora se lo explicaba todo.

¿Hallarían a tiempo al niño y a la muchacha? ¿Dónde tendría lugar la explosión? ¿Cuánta gente moriría?

De pronto sonó el teléfono. Descolgó el auricular con gesto de fatiga.

—¿El padre Kennedy? Gracias por recoger el paquete que dejé anoche en su altar. Le habla *Zorro*.

El sacerdote sintió que se le hacía un nudo en la garganta. A los periodistas les habían dicho solamente que la casete había sido hallada en la iglesia.

—¿Qué...?

—Ahórrese las preguntas. Llame a Steve Peterson y déle otro mensaje de mi parte. Dígale que la bomba estallará en un importante nudo de comunicaciones de la ciudad de Nueva York. Puede ir a desenterrar los restos de su hijo y de Sharon entre los escombros.

La comunicación se cortó.

47

Zorro avanzó lentamente hacia la zona de espera situada junto a la puerta de salida número nueve, hacia la rampa que conducía al avión. Un presentimiento de peligro tan concreto como un timbre de alarma tensaba todo su sistema nervioso. Sus ojos se movían inquietos mirando en torno suyo. Los pasajeros del avión ignoraron su presencia. Luchaban por sacar de sus bolsillos las tarjetas de embarque mientras pasaban de una mano a la otra maletines, bolsas, carteras y libros.

Miró la tarjeta de embarque que sobresalía del sobre que le habían entregado en el mostrador de la compañía. En la otra mano apretaba firmemente el asa de su maleta negra.

¡Un ruido! De pronto lo oyó. El sonido de unos pies que corrían. ¡La Policía! Soltó el billete y salvó de un salto la pequeña barra giratoria que separaba la zona de espera del corredor. Dos hombres corrían por el pasillo hacia él. Desesperado, miró en torno suyo y vio a unos quince metros de distancia una salida de emergencia. Debía dar al campo de aterrizaje.

La maleta. No podía correr con ella. Después de un segundo de duda, la arrojó tras de sí. Chocó contra el suelo de mármol, se deslizó unos centímetros y se abrió. Los billetes quedaron diseminados por el corredor.

—¡Deténgase o disparamos! —gritó una voz.

Zorro abrió de un empujón la puerta de emergencia poniendo en funcionamiento un timbre de alarma. Cerró tras él y echó a correr. El avión con destino a Phoenix se interponía en su camino. Corrió en torno a él. Una camioneta de servicio del aeropuerto se hallaba cerca del ala izquierda del aparato con el motor en marcha. El conductor subía a ella en ese preciso momento. Le agarró por detrás y le propinó un puñetazo en el cuello. El hombre gimió y cayó al suelo. Le hizo a un lado y saltó al interior del vehículo. Apretó el acelerador a fondo y zigzagueó en torno al avión. No se atreverían a disparar con el aparato por medio.

La Policía le seguiría en un coche dentro de unos instantes. O enviarían automóviles desde un punto más avanzado para cortarle el paso. Era arriesgado bajar de la camioneta y aún más permanecer en ella. Las pistas de despegue y aterrizaje o acababan en vallas o iban a morir al canal. Si seguía una de ellas le atraparían con toda seguridad.

Buscaban a un hombre que conducía una camioneta de servicio de las líneas aéreas. A nadie se le ocurriría registrar la terminal. Vio una camioneta idéntica a la que conducía cerca de un hangar, maniobró hasta llegar junto a ella y se detuvo. En el asiento contiguo al suyo había un grueso cuaderno abierto. Echó un vistazo rápido. Contenía anotaciones relativas al abastecimiento del aeropuerto. Lo cogió y bajó de la camioneta. En ese momento se abría una puerta marcada con un letrero: «Sólo personal autorizado.» Inclinó la cabeza sobre el cuaderno y llegó a la puerta antes de que ésta se cerrara. Una mujer joven vestida con el uniforme de azafata de tierra miró el cuaderno que llevaba entre las manos y le cedió el paso.

Caminó con paso autoritario, presuroso. Atravesó un corto pasillo flanqueado por pequeños despachos, y segundos después se hallaba en la zona de espera de viajeros. Los policías del aeropuerto corrían hacia el campo, pasaban junto a él rozándole. Haciendo caso omiso de ellos, atravesó la terminal, llegó a la acera y llamó a un taxi.

—¿Adónde? —preguntó el taxista.

—A la estación de Grand Central. —Sacó del bolsillo un billete de veinte dólares, el último que le quedaba—. Vaya lo más de prisa que pueda. Han cancelado mi vuelo y tengo que coger un tren antes de las once y media.

El taxista era joven. No tendría más de veintidós años.

—Mucho pide usted, jefe, pero llegaremos. Las carreteras están bastante bien y no hay mucho tráfico. —Pisó el acelerador con fuerza—. Agárrese que viene curva.

Zorro se apoyó en el respaldo del asiento. Un sudor frío le helaba el cuerpo. Sabían quién era. ¿Y si averiguaban sus antecedentes? Alguien podría decir: «Trabajaba en "La Ostrería". Fregaba los platos allí. ¿Y si recordaban la existencia de la habitación?»

La bomba estaba conectada al reloj. Eso significaba que si alguien entraba en el cuarto, tendrían tiempo de salvar a Sharon y a Neil, quizás hasta tuvieran tiempo de desactivar el artefacto. No, probablemente estallaría en el momento que alguien lo tocara. Era extremadamente sensible. Pero, ¿de qué sirviría la explosión si Sharon y Neil se salvaban?

No debió hacer esa última llamada. Era culpa de Sharon. Debía haberla estrangulado el día anterior. Recordó la sensación que experimentó cuando sus manos apretaron su cuello buscando el suave latido de su garganta. A ninguna de las otras las había tocado con las manos. Las había estrangulado con pañuelos o cinturones. Pero a ella... El deseo de volver a apretar esa garganta le quemaba en las manos. Ella lo había estropeado todo. Le había engañado fingiendo estar enamorada de él. No había más que ver cómo le había mirado aun desde la pantalla de la televisión, como si le deseara, como si quisiera que la llevara con él. Luego, el día anterior le había rodeado con sus brazos para quitarle la pistola. No era buena. Era la peor de todas, peor que las que andaban por las calles, peor que las matronas de la cárcel de mujeres, peor que ninguna. Todas le habían rechazado cuando él trataba de besarlas. «¡Basta! ¡Déjame!»

No debía haber llevado a Sharon a aquella habitación. Si sólo hubiera secuestrado al niño, nada de esto habría sucedido. Ella le había obligado a secuestrarla y ahora él se había quedado sin el dinero y la Policía sabía quién era y tendría que ocultarse en alguna parte.

Pero antes tenía que matarla. Probablemente estarían evacuando ya las terminales y los aeropuertos. Probablemente no pensarían en aquella habitación, no les daría tiempo. La explosión sería una muerte demasiado buena para ella. Quería que levantara la mirada y le viera y sintiera sus manos en torno a su garganta. Quería ver cómo moría. Quería hablarle, decirle lo que iba a hacer, oírle suplicar. Sólo entonces apretaría sus manos alrededor de su cuello.

Cerró los ojos y tragó saliva para aliviar la sequedad de su garganta, el estremecimiento de éxtasis que precipitaba la transpiración.

Sólo necesitaba cuatro o cinco minutos en el interior

de la estación. Con llegar a la habitación a las once y veintisiete tendría bastante. Luego escaparía por el túnel que conducía a Park Avenue.

Aun sin ayuda del magnetofón recordaría perfectamente la voz de Sharon. Quería recordarla. Se dormiría cada noche escuchando cómo sonaba su voz en el momento de morir.

Al niño le dejaría allí. Que la explosión lo matara, a él y a todos esos malditos policías y a los que no supieran escapar a tiempo de la terminal. Nadie sabía lo que iba a ocurrir.

En ese momento entraban en el túnel que conducía al centro de la ciudad. Ese chico sabía lo que se hacía con el volante. Eran sólo las once menos diez. Otros diez o quince minutos más y estarían en la Calle 42. Tenía tiempo de sobra. Tiempo de sobra para ocuparse de Sharon.

Habían recorrido ya la mitad del túnel cuando el taxi se detuvo bruscamente. *Zorro* salió de sus meditaciones.

—¿Qué pasa?

El taxista se encogió de hombros.

—Lo siento, señor, pero hay un camión parado ahí delante. Parece que se le ha caído parte de la carga. Ha bloqueado las dos direcciones. Pero no tardará en arrancar. No se preocupe. Llegará al tren.

Esperó frenético de impaciencia. Deseaba matar a Sharon. Las manos le ardían como si estuvieran al rojo. Pensó en bajarse y caminar el resto de trayecto, pero rechazó la idea. La Policía le detendría sin la menor duda.

Eran las once y diecisiete cuando salieron lentamente del túnel y doblaron hacia el Norte. En la Calle 40 el tráfico estaba detenido. El conductor silbó.

—¡Vaya lío que hay ahí! Trataré de doblar hacia el Este.

En la Tercera Avenida el taxi se detuvo en seco. Automóviles parados bloqueaban los cruces. Las bocinas sonaban airadas. Los peatones caminaban en dirección al Este tratando de abrirse paso entre los coches.

—No sé qué pasa. Parece que a partir de aquí han cerrado las calles al tráfico. Espere, pondré la radio. Quizá sea una de esas amenazas de explosión.

Probablemente estaban evacuando la estación. *Zorro* arrojó el billete de veinte dólares al taxista, abrió la puerta y salió del taxi.

Al llegar a la Calle 42 los vio. Policías. Policías por todas partes. La calle cerrada al tráfico. Se abrió camino empujando a diestra y siniestra. ¡La bomba! ¡La bomba! Se detuvo. La gente comentaba que habían puesto una bomba en la estación. ¿Habrían encontrado a Sharon y al niño? La idea le nubló la vista con una furia negra. Se abrió camino con los hombros empujando a derecha e izquierda.

—¡Atrás, amigo! No puede pasar.

Un policía joven le tocó en el hombro en el momento en que trataba de cruzar la Tercera Avenida.

—¿Qué pasa?

Tenía que saber.

—Nada. Estamos a la espera. Parece ser que ha habido una llamada. Amenazan con que va a estallar una bomba. Tenemos que tomar precauciones.

¡Una llamada! Se refería a la que había hecho al sacerdote. *¡Amenaza!* Eso significaba que aún no habían encontrado la bomba. Tenía tiempo. Se sintió eufórico interiormente. Sus dedos y las palmas de las manos le hormigueaban como sucedía cada vez que se acercaba a una muchacha sabiendo que ya nada podría detenerle. Habló al policía con voz suave y expresión preocupada.

—Soy cirujano. Me han llamado para que me una al equipo de emergencia médica. Pueden necesitarme.

Corrió Calle 42 arriba con cuidado de mantenerse cerca de los edificios. El próximo policía que le parase podría ser lo bastante inteligente como para exigirle documentación. De los edificios y de las tiendas salía una riada humana empujada por la insistencia de los altavoces de la Policía.

—¡Dense prisa, pero no se asusten! ¡Vayan en dirección a la Tercera o la Quinta Avenida! Si cooperan, no les ocurrirá nada.

Eran exactamente las once y veintiséis cuando abriéndose camino entre la muchedumbre confusa y asustada llegó a la puerta principal de la estación. Las puertas estaban abiertas de par en par para facilitar el éxodo. Un policía veterano estaba de guardia al extremo izquierdo de la puerta. Trató de deslizarse al interior sin ser visto.

—¡Eh, oiga! ¡No se puede entrar ahí!

—Soy ingeniero de la estación —dijo sin perder la serenidad—. Me han avisado para que viniera.

—Demasiado tarde. El equipo de rescate está ya dentro.

—Pues a mí me han llamado.

—Haga lo que quiera.

El policía le soltó el brazo que hasta entonces había tenido sujeto.

Los periódicos de la mañana se apilaban en el quiosco que había poco más allá de la puerta. Vio el titular de enormes letras negras. «*Secuestro.*» Hablaban de él. Él sólo lo había hecho. *Zorro.*

Pasó corriendo junto al quiosco y miró hacia la gran sala principal de la estación. Policías de expresión sombría tocados con cascos registraban tras mostradores y cabinas. Probablemente había docenas de ellos diseminados por la estación. Pero él había sido más listo. Más que todos ellos juntos.

Cerca del mostrador de información había apiñado un pequeño grupo de hombres. El más alto, uno de hombros anchos y cabellos de color arena, meneaba la cabeza con las manos metidas en los bolsillos. ¡Steve Peterson! ¡Era Steve Peterson! Conteniendo el aliento atravesó corriendo el piso principal y se dirigió con la velocidad de una flecha hacia las escaleras que conducían al nivel inferior.

Sólo necesitaba dos minutos más. Los dedos le latían y le quemaban. Los flexionó mientras bajaba las escaleras. Sólo mantuvo rígidos los pulgares conforme corría, sin que nadie se interpusiera en su camino, a

240

través de la terminal inferior y desaparecía por las escaleras que descendían al andén de Mount Vernon y a la habitación que se abría más allá de la boca del túnel.

48

La noticia de que *Zorro* había vuelto a llamar alcanzó a Hugh y a Steve en el momento en que el helicóptero volaba sobre el puente de Triborough.

—¿*Uno de los principales nudos de comunicación de la ciudad de Nueva York?* —dijo Hugh al teléfono—. ¡Dios mío! Eso supone los dos aeropuertos, las dos terminales de autobuses, la estación de Pensilvania y la de Grand Central. Comiencen a evacuarlas inmediatamente.

Steve escuchaba con los hombros encogidos. Sus dedos se trenzaban y destrenzaban nerviosamente. ¡El aeropuerto Kennedy! ¡El aeropuerto de La Guardia! La terminal de autobuses del puerto ocupaban una manzana entera. La otra, la que había junto al puente, probablemente más. «¡Sharon! ¡Neil! ¡Dios mío! Todo era ya inútil...» *Que el zorro haga su nido en el hueco de tu hogar...*

Hugh colgó el teléfono.

—¿No podemos ir más de prisa? —preguntó al piloto.

—Hace mucho viento. Trataré de bajar un poco.

—¡Viento! Justo lo que necesitábamos si es que se produce un incendio cuando estalle el artefacto —murmuró Hugh. Miró a Steve—. Es inútil que finjamos. El asunto tiene mal cariz. Tenemos que suponer que ha cumplido su amenaza de colocar la bomba.

—Y Sharon y Neil están junto a ella. —La voz de Steve vibraba de rabia—. ¿Por dónde va a empezar a buscar?

—Tenemos que arriesgarnos —dijo Hugh claramente—. Intensificaremos la búsqueda en la estación de Grand Central. Recuerde que Taggert aparcó el coche en la Avenida Vanderbilt y que se alojó en el «Biltmore». Se conoce esta estación como la palma de su mano. Y John Owens asegura que el sonido de fondo de la grabación le hace pensar más en trenes de cercanías que en el metro.

—¿Qué hay de Ronald Thompson?

—Si no atrapamos al secuestrador y logramos hacerle confesar, está acabado.

A las once y cinco minutos el helicóptero aterrizaba en el edificio de la «Pan Am.». Hugh abrió la puerta de un empujón. Un agente de rostro enjuto corrió hacia ellos en el momento en que saltaban al suelo. Blanco de ira, con los labios apretados, les informó de la huida de *Zorro*.

—¿Que ha escapado? —estalló Hugh—. ¿Cómo ha podido suceder una cosa así? ¿Está seguro de que era él?

—Absolutamente seguro. Tiró la maleta al suelo con el dinero del rescate. Están buscándole ahora por el campo de aterrizaje y por la terminal, pero con la evacuación del aeropuerto la confusión es terrible.

—El dinero del rescate no va a decirnos dónde está la bomba ni puede ayudarnos a salvar a Ronald Thompson —exclamó Hugh—. *Tenemos que encontrar a Zorro y hacerle confesar.*

Zorro había huido. Sin poder dar crédito a sus oídos, Steve absorbió las palabras una a una. Sharon, Neil. «Quiero decirte que me equivoqué... A mamá no le gustaría verme aquí.» ¿Sería esa extraña casete el último contacto que pudiera tener jamás con ellos?

La casete.

La voz de Nina.

Cogió a Hugh del brazo.

—Esa casete que ha mandado. Añadió a ella la voz de Nina. Dicen que recogió todo de su taller. ¿No llevaba equipaje? Quizás haya facturado una maleta. Quizá lleve en ella la otra casete con la voz de Nina, algo que pueda indicarnos dónde se hallan Sharon y Neil.

Hugh se volvió hacia el agente.

—¿Llevaba equipaje?

—Con el billete que tiró al suelo iban los tickets para recoger dos maletas. Pero el avión despegó hace veintisiete minutos. A nadie se le ocurrió detenerlo. Encontraremos esas maletas cuando llegue a Phoenix.

—¡No basta con eso! —exclamó Hugh—. ¡Santo Cielo! ¿Es que no se dan cuenta de que no basta con eso? ¡Hagan volver ese maldito avión! Que todo el personal disponible de La Guardia ayude a descargar los equipajes. Avisen a la torre de control para que mantengan una pista despejada. Y no deje que ningún idiota se le interponga en su camino. ¿Dónde está el teléfono?

—Adentro.

Mientras corría hacia la cabina, Hugh sacó del bolsillo un cuaderno de notas. Rápidamente llamó a la prisión de Sommers y exigió hablar con el director.

—Seguimos tratando de conseguir una prueba decisiva de la inocencia de Thompson. Deje la línea telefónica libre hasta el último segundo.

Llamó después a la oficina de la gobernadora y habló con su secretaria privada.

—Asegúrese de que puedo hablar con la señora Greene en cualquier momento y permanezcan en contacto con nuestros hombres destacados en La Guardia y en la prisión si no quieren correr el riesgo de que el estado de Nueva York pase a la historia por electrocutar a un inocente.

Colgó.

—Vamos —dijo a Steve.

«Diecinueve minutos —se dijo éste mientras bajaban en el ascensor—. Diecinueve minutos.»

El vestíbulo del edificio de la «Pan Am.» estaba abarrotado de público procedente de la estación. «Una amenaza de explosión... Dicen que han puesto una bomba... La palabra «bomba» estaba en los labios de todos.

Steve y Hugh se abrieron paso a empujones.

¿Cómo iban a saber dónde buscar? Steve se asfixiaba de angustia. El día anterior había estado en esa misma estación. Esperó la hora de la partida del tren sentado al mostrador de «La Ostrería». ¿Habrían estado Sharon y Neil todo ese tiempo allí, impotentes? Una voz repetía insistente a través de los altavoces: «Abandonen el edificio inmediatamente. Diríjanse a la salida más cercana. No se dejen dominar por el pánico. No se congreguen en las puertas de salida. Abandonen el edificio. Abandonen el edificio...»

En la cabina de información del nivel superior de la terminal, con las luces rojas intermitentes encendidas ominosamente, se había improvisado el cuartel general de la Policía. Los ingenieros se inclinaban sobre planos y diagramas y daban órdenes rápidas a los equipos de rescate.

—Nos concentramos especialmente en la zona comprendida entre el suelo de esta planta y el techo de la inferior —dijo a Hugh uno de los supervisores de la operación—. Constituye un buen escondite accesible desde todos los andenes. Hemos registrado ya todas las plataformas y hemos abierto los compartimientos de equipajes cuyas llaves guardan los viajeros. Creemos que aun en el caso de que hallemos la bomba, será demasiado arriesgado tratar de desactivarla. Los del equipo de explosivos han traído todas las planchas protectoras que han podido conseguir. Las han distribuido entre los distintos destacamentos. Se les atribuye un noventa por ciento de efectividad en lo que concierne a contener la explosión.

Steve recorrió con la mirada la terminal. Los altavoces habían callado y en la gran sala reinaba un silencio sordo, burlón. ¡El reloj! Sus ojos se fijaron en el reloj colocado sobre el mostrador de información. Las manecillas se movían sin descanso... Las once y doce... Las once y diecisiete... Las once y veinticuatro...

Hubiera querido detener esas manecillas, recorrer por sí mismo todas las salas de espera, todos los andenes, todos los cubículos... Hubiera querido gritar sus nombres... ¡Sharon! ¡Neil!

Volvió la cabeza angustiado. Tenía que hacer algo, buscar por sí mismo. Su mirada recayó en un hombre alto, huesudo, que entraba por la puerta de la Calle 42, atravesaba corriendo la sala, y bajaba los escalones que conducían al nivel inferior a toda velocidad. Reconoció en él algo familiar. ¿Sería uno de los agentes? ¿De qué podría servir ya?

Una voz sonó a través de los altavoces. «Son las once y veintisiete. Todos los equipos de rescate diríjanse a la salida más próxima. Abandonen inmediatamente la terminal. Repito. Abandonen la terminal.»

—¡No! —Steve asió los hombros de Hugh y le obligó a volverse hacia él—. ¡No!

—Señor Peterson, recapacite. Si estalla la bomba moriremos todos. Aun en el caso de que Sharon y Neil estén efectivamente aquí, ya no podemos ayudarles.

—Yo no me voy —dijo Steve.

Hugh le cogió de un brazo. Otro policía le asió del otro.

—Señor Peterson, sea razonable. Puede que no haya tal explosión.

Steve luchó por liberarse.

—¡Suéltenme, maldita sea! —gritó—. ¡Suéltenme!

49

Era inútil. Inútil. Con los ojos fijos en el reloj como atraídos por un imán, Sharon trató frenéticamente de introducir el extremo roto del picaporte entre las cuerdas que sujetaban sus muñecas. Era extremadamente difícil sostener el picaporte con una mano y tratar de cortar las ligaduras con la otra frotando contra ellas el extremo roto.

La mayoría de las veces que lo intentaba acababa sin acertar a dar en las cuerdas y cortándose en cambio la mano. Sentía la sangre caliente, pegajosa, corriendo por sus muñecas y endureciéndose poco a poco para formar una costra. Había traspasado el límite del dolor. Pero, ¿y si se cortaba una arteria y se desmayaba?

La sangre volvía las cuerdas más blandas, más resistentes. El metal se deslizaba sobre ellas sin hendirlas. Llevaba ya más de una hora intentándolo... Eran las once menos veinticinco.

Las once menos veinte.

Menos diez... Menos cinco... Y cinco.

Continuó esforzándose, la frente empapada de sudor, las manos pegajosas de sangre, sin sentir el más leve dolor. Sentía que los ojos de Neil la vigilaban constantemente. «Reza, Neil.»

A las once y diez sintió que las ligaduras se debilitaban, cedían. Reuniendo las pocas energías que le quedaban, Sharon separó las manos. Las cuerdas quedaron colgando de ellas. Estaba libre.

Mantuvo las manos en alto, las agitó en el aire, trató de recobrar en ellas la sensibilidad. Quince minutos.

Trató de incorporarse. Apoyó la espalda en la pared y logró quedar sentada en el catre. Sus piernas colgaban inertes al otro extremo. Un dolor salvaje le recorría el tobillo, atenazándolo.

Catorce minutos.

Los dedos le temblaron de debilidad cuando trató de arrancarse la mordaza. La gasa estaba fuertemente apretada. No podía quitársela. Tiró con violencia y quiso bajarla. Lo consiguió. Aspiró grandes bocanadas de aire fresco para despejarse.

Trece minutos.

No podía andar. Aunque consiguiera arrastrarse hasta donde estaba la bomba, corría peligro de moverla al tratar de trepar a la pila para alcanzarla. O podía hacerla estallar sólo con tocarla. Recordó el cuidado infinito con que *Zorro* la había manejado cuando conectaba los cables.

No había esperanza. Tenía que tratar de soltar a Neil. Si lo conseguía, él podría salir de la habitación, avisar a alguien. Le quitó la mordaza.

—Sharon...

—Lo sé. Voy a tratar de desatarte. Quizá te haga un poco de daño, no podré evitarlo.

246

—No importa, Sharon.

Y en ese momento lo oyó. Un leve ruido. Algo que rozaba la puerta. ¿Sería él que volvía? ¿Habría cambiado de idea? Apretando a Neil contra ella contempló fijamente la puerta. Se abrió. Los tubos fluorescentes parpadearon, se encendieron.

A la luz mortecina del cuarto vio algo que parecía una aparición avanzar tropezando hacia ella. Era una mujer, una anciana. Un hilo de sangre caía de su boca. Tenía los ojos hundidos y la mirada vidriosa.

Neil se apretó contra la muchacha y vio que la mujer avanzaba hacia ellos y caía de bruces como un fardo de ropa.

La anciana se derrumbó sobre un costado y trató de hablar.

—Cuchillo... En la espalda, clavado... Por favor... Ayúdeme... Sáquemelo... Duele. Quiero morir aquí...

La cabeza de la mujer reposaba sobre el pie de Sharon. Su cuerpo caído formaba una imagen grotesca. Sharon vio el puño del cuchillo que sobresalía entre sus omoplatos.

Con ese cuchillo podría liberar a Neil. Estremecida, colocó las dos manos en torno al mango y tiró.

El cuchillo resistió durante unos segundos y finalmente cedió. Sharon lo sostenía en su mano. El agudo filo estaba manchado de sangre.

La mujer gimió.

En pocos segundos Sharon había cortado las cuerdas que inmovilizaban al niño.

—Neil corre... Sal de aquí. Grita a todos que va a haber una explosión... ¡Corre! Baja las escaleras, verás una rampa. Corre hacia el andén... sube las escaleras. Verás a gente... Papá vendrá a buscarte... ¡Corre! Sal de este edificio... Haz que se vayan todos...

—¡Sharon! —suplicó el niño—. ¿Y tú?

—Neil, vete... Tú vete. Corre.

Neil bajó del catre. Trató de andar, tropezó y se enderezó.

—Las piernas...

—¡Corre, Neil! Corre. ¡Corre!

Con una última mirada de súplica, Neil obedeció. Salió corriendo de la habitación al rellano. Descendió los escalones. Sharon le había dicho que bajara. Se asustó. Estaba allí tan oscuro, tan solitario. Daba miedo. La bomba. Si pudiera encontrar a alguien que ayudara a Sharon... Tenía que encontrar a alguien que la ayudara.

Estaba al pie de las escaleras. ¿Hacia dónde tenía que correr? Aquello estaba lleno de tuberías. Una rampa. Sharon le había dicho que encontraría una rampa. Como la que había en el colegio entre las aulas y el auditorio.

Corrió por ella. Quería gritar para pedir socorro, pero tenía que correr. Tenía que encontrar a alguien. Ya estaba al final de la rampa. Se hallaba en un andén, en una estación de trenes. Los raíles estaban allí mismo. Sharon le había dicho que subiera. Corrió a lo largo del andén hasta el final de la vía.

Una voz empezó a hablar. Parecía el director del colegio cuando daba órdenes a través del altavoz. Alguien decía a todos que salieran del edificio. ¿Dónde estaría el hombre que hablaba?

Oyó pasos que bajaban por la escalera. Alguien venía. Alguien que ayudaría a Sharon. Sintió tal alivio que quiso gritar y no pudo. Se había quedado sin aliento de tanto correr. Las piernas le dolían de tal modo que no podía seguir. Tambaleándose, llegó a las escaleras y empezó a subirlas. Tenía que decir al que bajaba que ayudara a Sharon que necesitaba ayuda.

Levantó la mirada y vio el rostro que poblaba sus pesadillas acercarse rápidamente a él.

Zorro vio también al niño. Su vista se agudizó. Sus labios se tensaron. Extendió sus manos...

Neil se apartó de un salto y le propinó una fuerte patada. El hombre se tambaleó y bajó a trompicones los tres últimos peldaños. Eludiendo los brazos que se tendían hacia él, Neil corrió escaleras arriba. Se encontró en una sala enorme. Estaba desierta. Otra escalera. Allí. Quizás hubiera alguien arriba. El hombre malo iba hacia Sharon.

248

Subió las escaleras corriendo, sollozando. «Papá», trató de gritar. «¡Papá! ¡Papá!» Subió el último peldaño. La sala estaba llena de policías. Todos corrían hacia las puertas. Unos cuantos empujaban a un hombre.

Era su padre.

—¡Papá! —gritó Neil—. ¡Papá!

Con una última explosión de energía, corrió con paso inseguro por la sala de la terminal. Steve le oyó, se volvió, echó a correr hacia él y le sujetó.

—Papá —sollozó Neil—. Ese hombre... Va a matar a Sharon. Igual que mató a mamá.

50

Rosie se resistía denodadamente a los esfuerzos de la Policía por sacarla de la estación. Lally estaba en Sing-Sing. Lo sabía. Había policías por todas partes. Junto al mostrador de informaciones vio un grupo de agentes. Distinguió entre ellos a Hugh Taylor, un inspector muy simpático del FBI que siempre hablaba con ella cuando iba por la estación. Corrió hacia él y le cogió del brazo.

—Señor Taylor, Lally...

Él la miró y trató de liberarse.

—Lárgate de aquí, Rosie.

Una voz habló por el altavoz ordenando a todos desalojar el edificio.

—¡No! —sollozó Rosie.

El hombre alto que se hallaba junto a Hugh Taylor cogió a éste por los hombros y le obligó a volverse hacia él. Vio cómo Hugh y otro policía forcejeaban con él.

—¡Papá! ¡Papá!

¿Estaría viendo visiones? Rosie se volvió en redondo. Un niño corría a trompicones por la terminal. En ese preciso instante el hombre que había estado discutiendo con Hugh Taylor echaba a correr hacia él. Rosie oyó al niño decir algo acerca de un hombre malo y se acercó. Quizás hubiera visto al que vigilaban ella y Lally.

El niño gritaba:

—¡Papá, ayuda a Sharon! No puede moverse. La ha atado. Hay una vieja, herida...

—¿Dónde Neil? ¿Dónde? —dijo Steve con voz suplicante.

—Una vieja, herida —exclamó Rosie—. Ésa es Lally. Está en su habitación. Ya sabe, señor Taylor, en Sing-Sing. El cuarto donde lavaban los platos.

—¡Vamos! —gritó Hugh.

Steve empujó a Neil hacia un policía.

—Saque a mi hijo de aquí —ordenó al agente.

Salió corriendo detrás de Hugh. Dos hombres les siguieron transportando a duras penas una pesada plancha de metal.

—¡Y usted, fuera de aquí!

Alguien cogió a Rosie por la cintura y la arrastró hacia la puerta.

—¡La bomba va a estallar en cualquier momento!

51

Sharon oyó el sonido de las suelas de goma que bajaban precipitadamente las escaleras. ¡Por favor, Señor, que llegue sano y salvo! ¡Que pueda escapar!

Los gemidos de la anciana cesaron unos instantes, sonaron de nuevo y volvieron a apagarse. Cuando los oyó de nuevo, parecían más débiles, como si se extinguieran lentamente.

Con una claridad fría, Sharon recordó que la mujer había dicho querer morir allí. Se inclinó sobre ella y le acarició suavemente el cabello mate. Recorrió con las puntas de los dedos la frente arrugada. La piel de su rostro resultaba fría y húmeda al tacto. Lally se estremeció violentamente. Sus gemidos cesaron.

Sharon supo que la anciana había muerto. Y ella iba a morir también.

—Te quiero, Steve —dijo en voz alta—. Te quiero.

El rostro de Steve invadió su pensamiento. Sentía una necesidad de él que se traducía en un sufrimiento físico, primitivo, agudo, un sufrimiento que trascendía la agonía del dolor que le producían la pierna y el tobillo. Cerró los ojos.

—Perdónanos nuestras deudas así como nosotros perdonamos a nuestros deudores... En tus manos encomiendo mi espíritu.

Un ruido.

Sus ojos se abrieron. En el vano de la puerta apareció la silueta de *Zorro*. Una sonrisa hendía su rostro de oreja a oreja. Sus dedos se curvaron a excepción de los pulgares que permanecieron rígidos mientras se inclinaba sobre ella.

52

Hugh iba a la cabeza del grupo que corría hacia el andén de Mount Vernon y bajaba la rampa que conducía a las profundidades de la terminal. Steve corría tras él. Los hombres que transportaban la plancha de metal, pugnaban por mantenerse a su altura.

Se hallaban ya en la rampa cuando oyeron los gritos.

—¡No! ¡No! ¡Steve, ayúdame! ¡Steve!

Hacía veinte años que Peterson había dejado de correr en las pistas, pero una vez más sintió resurgir en su interior ese poder tremendo, esa irrefrenable explosión de energía que sobrevenía con cada carrera. Enloquecido por la idea de llegar a tiempo junto a Sharon voló a la cabeza del grupo adelantando a todos.

—¡Steve!

El grito se interrumpió violentamente.

Una escalera. Se hallaba al pie de una escalera. Voló escalones arriba y abrió la puerta de un empujón.

Su cerebro absorbió la calidad de pesadilla de aquella escena. Un cadáver en el suelo. Sharon, medio sentada medio tendida en el suelo, con las piernas atadas y su cabello ondeando a su espalda, trataba de escapar a la figura que se cernía sobre ella, al hombre cuyos dedos apretaban su garganta.

Steve se lanzó sobre él, embistió aquella espalda arqueada sobre la muchacha. Los dos hombres cayeron sobre Sharon. El catre cedió bajo su peso y los tres cuerpos rodaron por el suelo. Bajo el impacto de la caída los dedos que apretaban la garganta de Sharon, cedieron. *Zorro* quiso levantarse y logró ponerse en cuclillas. Steve trató también de enderezarse pero tropezó con el cuerpo de Lally. La respiración de Sharon era un jadeo ahogado, torturado.

Hugh entró en la habitación. Acorralado, *Zorro* dio unos pasos hacia atrás. Su mano tropezó con el picaporte de la puerta del lavabo. Entró en el cubículo de un salto y cerró la puerta tras él. Oyeron cómo corría el pestillo.

—¡Salga de ahí, loco! —gritó Hugh.

Los agentes que transportaban la plancha protectora entraron en la habitación.

Con cuidado infinito la colocaron en torno a la maleta negra.

Steve se acercó a Sharon. Tenía los ojos cerrados. La cogió en sus brazos y la cabeza de la muchacha cayó hacia atrás, inerte. Su garganta comenzaba a inflamarse, pero ella estaba viva. Vivía. Apretándola contra sí, se volvió hacia la puerta. Sus ojos tropezaron con los posters, con la fotografía de Nina. Apretó el cuerpo de Sharon con más fuerza.

—Está muerta.

La manecilla grande del reloj se acercaba al número seis.

—¡Fuera todos! —gritó Hugh.

Bajaron corriendo las escaleras.

—¡El túnel! ¡Hacia el túnel!

Dejaron atrás los generadores, las tuberías, los ventiladores, y, siguiendo la vía, se internaron en la oscuridad...

Zorro oyó las pisadas que se alejaban. Se habían ido. Descorrió el pestillo y abrió la puerta. Al ver la plancha de metal en torno a la maleta comenzó a reír con una carcajada profunda, amarga, entrecortada. Era demasiado tarde para él. Pero también lo sería para ellos. Alargó una mano hacia la plancha de metal y quiso apartarla de la maleta.

Una explosión de luz cegadora, un sonido atronador que le reventó los tímpanos, le lanzaron a la eternidad.

Bob Kurner irrumpió en la iglesia de San Bernardo, recorrió el pasillo a la carrera, y rodeó con sus brazos la figura arrodillada.

—¿Ya pasó todo?

No había ni una sola lágrima en aquellos ojos.

—Sí Ya pasó todo. Vaya y llévese a su hijo a casa. Hay pruebas decisivas de que no fue él quien cometió el crimen. El asesino grabó una cinta mientras la mataba. La gobernadora quiere que Ronald salga de la cárcel ahora mismo.

Kate Thompson, madre de Ronald Thompson, firme creyente en la bondad y misericordia divinas, se desmayó.

Roger Perry colgó el auricular y se volvió hacia Glenda.

—Llegaron a tiempo —dijo.

—¿Están los dos a salvo? ¿Sharon y Neil?

—Sí. Y han soltado a Ronald Thompson.